16	3	2	13
5	10	11	8
9	6	7	12
4	15	14	1

Marconi Leal

O PAÍS SEM NOME

Ilustrações de
Dave Santana e Maurício Paraguassu

editora 34

EDITORA 34

Editora 34 Ltda.
Rua Hungria, 592 Jardim Europa CEP 01455-000
São Paulo - SP Brasil Tel/Fax (11) 3816-6777 www.editora34.com.br

O país sem nome © Marconi Leal, 2005
Ilustrações © Dave Santana e Maurício Paraguassu, 2005

A FOTOCÓPIA DE QUALQUER FOLHA DESTE LIVRO É ILEGAL, E CONFIGURA UMA
APROPRIAÇÃO INDEVIDA DOS DIREITOS INTELECTUAIS E PATRIMONIAIS DO AUTOR.

Capa, projeto gráfico e editoração eletrônica:
Bracher & Malta Produção Gráfica

Ilustrações:
Dave Santana e Maurício Paraguassu

Revisão:
Marina Kater
Marcela Vieira

1ª Edição - 2005

CIP - Brasil. Catalogação-na-Fonte
(Sindicato Nacional dos Editores de Livros, RJ, Brasil)

Leal, Marconi, 1975-
L435p   O país sem nome / Marconi Leal;
          ilustrações de Dave Santana e Maurício Paraguassu
          — São Paulo: Ed. 34, 2005.
          208 p.   (Coleção Infanto-Juvenil)

          ISBN 85-7326-337-7

          1. Literatura infanto-juvenil - Brasil.
          I. Santana, Dave. II. Paraguassu, Maurício.
          III. Título. IV. Série.

CDD - 838

O PAÍS SEM NOME

1. Uma luz misteriosa 9
2. Vozes no escuro 15
3. Ida ao quintal 21
4. O baú 27
5. Leleco desaparecido 33
6. Dentro do baú 37
7. Um lugar inacreditável 43
8. Passos na floresta 49
9. O dono da voz 55
10. A casa de Rari 61
11. Leleco capturado 67
12. O gigante.. 73
13. Dentro do precipício 81
14. No fundo da água 89
15. O homenzinho 93
16. "Socorro! Os Tômedes!" 99
17. Reencontro 107
18. A cachoeira... 113
19. O guarda da cachoeira 119
20. Rumo a Capital 127
21. O dono do barco 133
22. O Monstro de Sirccie 141
23. Uma aldeia no deserto 145

24. Entrando em Capital 151
25. Dentro da cidade 159
26. Enfrentando um Tômede 165
27. Leleco encontrado 173
28. O Redondo Judicial 179
29. Abaixo os Tômedes! 187
30. Fim de história 195

O PAÍS SEM NOME

1.
UMA LUZ MISTERIOSA

Que luz era aquela? Leleco acordou de noite para tomar água e, quando passava pelo corredor, viu uma luz esbranquiçada entre as plantas do quintal. Tomou um susto, arregalou os olhos negros e recuou alguns passos. Em seguida, disparou de volta para o quarto.

"Ladrão! Só pode ser ladrão!", pensou, trancando a porta à chave e se enfiando debaixo do lençol.

Numa cama vizinha à sua, Pepeu dormia sossegadamente. A casa estava sendo assaltada e ele dormia, como se nada estivesse acontecendo! Ora, droga! Teve raiva. Mas logo voltou a pensar no ladrão e se arrepiou.

Passados alguns minutos, reuniu coragem e descobriu a cabeça. Tudo continuava em silêncio. Não ouvia barulho algum. "Que será que esse ladrão tá fazendo que não entra em casa logo?"

Olhou para o relógio na parede. Eram duas horas da manhã. "E o pior é que eu tô morrendo de vontade de fazer xixi!"

Resolveu se levantar na pontinha dos pés e foi até a porta. Colocou o ouvido na madeira, tentando escutar algum movimento. Nada. Será que ele tinha visto direito? Claro que sim! Tinha uma luz acesa no quintal!

Ou será que estava enganado? Às vezes, quando acordava no meio de um sonho, não sabia direito se estava dormindo ainda ou se o que tinha sonhado era verdade. Será que tudo não tinha passado de um sonho?

Continuava com o ouvido colado à porta. Não escutava nada. "Que ladrão é esse que não se move?" E a vontade de fazer xixi apertava. Suas pernas se mexiam nervosas e ele se curvava sobre o corpo. "Vai ver que isso tudo não passou de imaginação minha... Ai, que vontade de fazer xixi!"

Esperou mais uns cinco minutos. Até que decidiu: "O melhor é voltar lá pra conferir!". Abriu a porta. Seu coração batia apressado, o suor escorria frio pelo corpo. Foi andando bem devagar, encostado à parede. No meio do corredor, parou. Olhou para a entrada do quarto. Teve vontade de voltar. Ficou indeciso.

Resolveu ir adiante. Andou mais uns dois ou três passos. Parou de novo. Olhou para a porta. "Qualquer coisa, eu corro de volta e ninguém me pega!" Avançava muito lentamente. Sua respiração estava pesada, suas mãos tremendo muito. E foi então que ouviu uma espécie de gemido: inheeec!

— Aaaai! — disse baixinho e parou, os olhos fechados, os braços estirados para cima, sem conseguir mexer um dedo sequer. Repetia: — Eu me rendo, meu senhor! Eu me rendo!

Mas, ao contrário do que pensava, o ladrão não apareceu. Abriu um olho. Em seguida, abriu outro. Baixou os braços e suspirou aliviado: o som tinha sido provocado pela porta do quarto, que havia se fechado com o vento.

— Ufa!

Enxugou o suor da testa e, de pernas bambas, retomou o passo. "Tomara que tenha sido imaginação minha! Tomara! Mas se não for? E se o ladrão ainda 'tiver aí? O que é que eu vou fazer? Ora, droga! Que agonia!"

Pensava assim e arrastava os pés no chão. E só parou de novo quando já estava no final do corredor, no ponto em que tinha visto a luz através da porta do quintal.

— Ai! É agora — disse para si mesmo. — Vou botar a cabeça pra fora do corredor e olhar. Tomara que a luz não esteja lá, tomara! Aí eu volto pra cama e vou dormir. De manhã conto pros meninos o que aconteceu. Pensando bem, nem conto, pra eles não ficarem rindo de mim.

Espichou o pescoço, de olhos fechados, mãos apertadas e dedos dos pés torcidos. Abriu os olhos e mordeu os lábios. Por alguns segundos, não conseguiu perceber nada. Mas logo se deu conta: a luz continuava lá.

— Aaaai!

Correu como um louco de volta para o quarto. Bateu a porta com muita força e ficou encostado nela. "É ladrão! É ladrão e ele ainda tá aqui! E agora? O que é que eu faço? Onde é que eu me escondo?"

A vontade de fazer xixi voltou. Passou a morder os dedos da mão, nervoso. Os pés estavam um por cima do outro. Os joelhos e as coxas roçavam. O suor pingava do rosto sobre a camisa. A barriga doía.

— Debaixo da cama! — falou sozinho. — Vou me esconder debaixo da cama. Ali ele não vai me encontrar.

Correu e tentou se enfiar embaixo da cama. O problema é que ela era muito baixa e ele um tanto gordinho. Acabou machucando a cabeça na madeira e metendo o nariz no chão.

— Au!

Levantou-se irritado. Seu pijama ficou preso num prego da cama e rasgou, deixando um pedaço da coxa morena e clara de fora.

— Ora, droga!

Tratou de procurar um novo esconderijo. Abriu a porta do guarda-roupa e as gavetas da mesinha de cabeceira. Não cabia em canto nenhum. Desesperado, meteu-se sob o tapete do quarto. O máximo que conseguiu foi engolir poeira.

— Atchim!

Passou a espirrar e, com medo de que o ladrão o ouvisse, tapava o nariz. Mas o espirro saía pela boca.

— Ele vai ouvir! E vai vir aqui pro quarto! Tô perdido! Tô perdido! — repetia em voz alta.

De repente, escutou um som diferente. Correu até a porta, porque se lembrou de que não a havia fechado. Rodou a chave no trinco e ficou à espera.

Então escutou uma voz rouca perguntar:

— Quem tá aí?

E seu cabelo preto, muito liso, se arrepiou completamente.

2.
VOZES NO ESCURO

A voz repetiu, como se saísse de dentro de uma caverna:

— Quem tá aí?

Pelo tom, Leleco achou que se tratava de um fantasma, o que, todo mundo sabe, é bem pior que ladrão. Tremeu da cabeça aos pés, se ajoelhou e levantou os braços:

— Por favor, seu fantasma, não faça nada comigo!

— Leleco? — perguntou a voz.

— Eu mesmo, seu fantasma!

— Leleco, sou eu!

— Eu sei! Por favor, vá embora!

— Leleco! Sou eu, Pepeu!

— Ahn?

Leleco apertou os olhos. Só então viu que quem falava era seu primo, que havia acordado e estava sentado na cama, olhando para ele, com os cabelos cacheados e volumosos assanhados e os olhos verdes sobressaindo sobre a pele negra.

— Pepeu? Quer me matar de susto? — disse e se levantou irritado.

— Eu é que quase morro de susto. Que barulho foi

O País Sem Nome

esse no quarto? Parecia que alguém tava arrastando uma cama...

— Um ladrão, Pepeu! — falou Leleco. — Tem um ladrão na tua casa!

— Ladrão? — perguntou Pepeu, ficando em pé em cima da cama e gesticulando como lutador de boxe. — Cadê? Eu pego o bicho. Dou uma e outra, e mais uma e outra. E faço assim, assim, assim.

— Cala a boca, senão ele vai ouvir! — sussurrou Leleco, subindo na cama e tapando os lábios do primo.

Nesse minuto, os dois ouviram batidas na porta e uma outra voz dizer:

— Que é isso?

Leleco abraçou Pepeu e soltou um berro:

— Aaaai! É o ladrão!

Os dois se desequilibraram e caíram sobre o colchão.

— Me solta!

— É ele, Pepeu! É ele!

— Me larga!

A voz que tinha falado há pouco voltou a dizer:

— Que é isso, hein? Isso lá é hora de brincar? Vocês não estão me deixando dormir!

Eles se calaram. Pepeu correu, abriu a porta e deu com uma menina de olhos castanhos, cabelos da mesma cor e rosto muito branco. Era Alicinha, que dormia no quarto ao lado e tinha acordado com o barulho feito pelos dois. Estava vermelha de raiva e com uma cara de quem quer, no mínimo, morder alguém.

Os meninos se sentaram sem jeito e ficaram de cabeça baixa, mexendo os pés, como se tivessem levado carão de um adulto. Aliás, Alicinha falava mesmo como uma adulta e tinha muita autoridade sobre eles.

Ela e Leleco tinham vindo passar férias na casa do primo, fazia poucos dias. Os três eram recifenses, mas a mãe de Alicinha casou com um baiano e a menina teve que se mudar para Salvador há uns dois anos. Mais ou menos na mesma época, Leleco foi morar em São Paulo, para onde seu pai tinha sido transferido a trabalho.

Aquelas eram as primeiras férias que os três passavam juntos no Recife desde a mudança. Continuavam os mesmos amigos de sempre. A única diferença é que, agora, Leleco dizia "cê" em lugar de "você". E, às vezes, usava o "dgi" e o "tchi" dos sulistas, além do artigo definido antes dos nomes das pessoas, achando aquilo muito importante.

Já o sotaque de Alicinha não havia se alterado tanto. Por algum motivo que os meninos desconheciam, ela sempre falou um Português meio "estranho". Por exemplo, dizia "está", "estou" e "para" como se escreve, e não "tá", "tô" e "pra" como se fala.

Pepeu, por outro lado, continuava com seu sotaque pernambucano puxado. Dizia "arrente" em vez de "a gente", pronunciava o "s" como "x" e usava "tu" em vez de "você".

— Alguém pode me explicar o que está acontecendo? — disse Alicinha, cruzando os braços. — Ou vão ficar aí me olhando com cara de bobo até amanhã?

— Quem começou foi Leleco, com uma brincadeira estranha de arrastar a cama de noite e acordar todo mundo — disse Pepeu.

— Eu, nada — respondeu o outro. — Foi o ladrão!

— Que ladrão? — perguntou Alicinha, franzindo a testa.

— Tem um ladrão aqui na casa — sussurrou o menino, pedindo para os outros dois se aproximarem, e contou o que tinha visto no quintal.

— Tem certeza que tinha uma luz? — quis saber Pepeu quando ele acabou de falar.

— *Certezíssima*!

— E não eram meus pais?

— Não. Teus pais tão dormindo.

— Ah, então vamo' lá agorinha que eu vou mostrar pra esse ladrão quem é que manda. Arranco o bigode dele. Dou uma e outra, e...

— Como é que 'cê sabe que ele tem bigode?

— Sei lá. Deve ter. Depois dou um...

— Pois eu acho que ele não tem bigode, nada. Deve é ter uma máscara preta.

— Não. Tem bigode. Um bigode fino, com a ponta arrebitada. Nunca viu em filme? Pego aquele bigode dele e...

— Não tem bigode.

— Tem!

— Não tem!

— Tem!

— Vocês querem parar de criancice? — falou Alicinha e os dois se calaram. Em seguida, completou: — Vamos logo até o quintal ver que luz é essa.

— Até-té o quin-quin-tal? — gaguejou Leleco.

— É isso aí! — comemorou Pepeu. — Vamo' dar uma lição no bigodudo!

— É melhor não. E se ele for brabo? E se não for ladrão? Pode ser um fantasma! Eu acho que...

— Vamos, sim! — repetiu Alicinha. — E é bom colocar uma roupa e calçar tênis, porque lá fora deve estar frio e molhado.

Os garotos fizeram como a menina havia dito e esperaram que ela retornasse do seu quarto, onde também tinha ido vestir um casaco. Em seguida se levantaram e seguiram a prima, que avançou para o corredor. Pepeu, de peito estufado, com passos firmes. Leleco, arrastando os pés no chão e sentindo de novo uma enorme vontade de fazer xixi.

O País Sem Nome

3.
IDA AO QUINTAL

Alicinha ia à frente. Logo atrás dela, com a cabeça bem levantada, marchava Pepeu. E por último vinha Leleco, nervoso, fungando e esfregando o nariz o tempo todo.

— 'Cês têm certeza que a gente deve fazer isso? — falou o último.

— Mas claro! Senão, como é que *arrente* vai saber quem tá lá? — disse Pepeu.

Alicinha não dizia nada. Estava muito séria e compenetrada.

— E o ladrão? — voltou a falar Leleco.

— Dou um jeito nele — respondeu Pepeu confiante.

— E se for fantasma?

— Que é que tem? Mando "ele" de volta pro outro mundo.

— Sei não... Acho melhor a gente voltar...

— Tu tá com medo, é?

— Medo, eu? Claro que não, meu filho! Medo! Humpf! Eu só tô pensando *na* Alicinha, só isso. Ela é menina. Pode se assustar com o fantasma...

A garota parou de repente e se virou para os primos com as mãos na cintura:

— Vocês dois querem fazer o favor de calar a boca? Assim ninguém pode nem pensar direito! Primeiro, vamos ver se a luz existe. Não adianta ficar dizendo que é fantasma, ladrão ou Papai Noel. É chegar lá, olhar e pronto. E podem ficar tranqüilos que eu não estou com medo nenhum.

— Tá vendo? — falou Pepeu, encarando Leleco. E depois, para a prima: — Mas, Alicinha, se o melhor é *arrente* ir no quintal de uma vez, o que é que tu tá fazendo aí parada?

Ela entortou os lábios, soltou ar pelo nariz e se voltou sem responder. Os três retomaram a caminhada. Leleco segurava na camisa de Pepeu e andava meio curvado, sem querer enxergar o que estava a sua frente.

Assim chegaram ao final do corredor. Ali, os três ficaram calados, esperando que alguém tomasse a iniciativa de dar o passo que faltava. Após alguns segundos, Pepeu bateu no peito e avisou:

— Eu olho.

E foi em frente. Gastou um bom tempo com a cabeça virada para o lado do quintal. Depois voltou ao seu lugar, com a boca aberta e os olhos arregalados.

— E aí? — perguntou Leleco ansioso.

— A luz tá lá!

Sem acreditar no que ouvia, Alicinha avançou, também deu uma espiada e confirmou:

— É, a luz está lá, sim.

— Ai! — disse Leleco. — E agora?

— E agora a gente segue adiante — respondeu Alicinha.

— É isso aí — sorriu Pepeu.

O quintal era longo e cheio de plantas e árvores. Tinha cajueiros, mangueiras, goiabeiras, jambeiros, jaqueiras, oitizeiros e pés de azeitona-roxa. Alicinha andava com passos curtos, o que retardava a caminhada e alegrava Leleco, para quem, quanto mais demorassem, melhor.

Pepeu estava impaciente. Queria chegar logo e ver o que era aquilo: se gente de carne e osso ou espírito de outro mundo. Seus olhos brilhavam toda vez que se deparava com um mistério como aquele. Pensava em mil coisas ao mesmo tempo.

— Sabe de uma coisa? — disse ele baixinho para Alicinha não ouvir. — Quem sabe esse invasor não é um pirata? Um pirata de verdade, com espada e tapa-olho... Já pensou?

— O que é que um pirata ia vir fazer aqui? — respondeu Leleco.

— Vai ver tá atrás de moedas de ouro.

— E desde quando a tua casa tem moedas de ouro?

— Também pode ser um viajante do espaço. Ou um

viking que ficou congelado durante séculos e só acordou hoje.

— Logo hoje! Bem que ele podia ter deixado pra acordar quando eu *tchivesse* em São Paulo.

— Ou, vai ver, é um monstro.

— Mo-monstro?!

— Um monstro com vinte e sete braços, cinco olhos, trinta pernas, que tem espinhos no corpo, vomita gelo, come pedra, voa e...

— Tá bom, tá bom! Não quero mais ouvir. Prefiro que seja pirata.

— E se for um vampiro? Ou um gigante? Ou um mago? Ou... um anjo?

— Ou alguém que faça vocês dois calarem a boca para sempre!

Quem disse essa última frase foi Alicinha, que estava parada, batendo o pé no chão. Leleco se escondeu atrás do primo para escapar do olhar ameaçador da menina. Pepeu levantou a mão, também encolhido, e disse:

— Desculpa.

Retomaram o passo, silenciosos. À medida que andavam entre as plantas, sempre com cautela, percebiam que a luz se tornava mais intensa. Até que, a certa altura, protegidos pelos troncos das árvores, descobriram que a luminosidade vinha de um quarto nos fundos do quintal.

Eles não sabiam o que dizer. Aquele quarto tinha pertencido ao avô deles, que morou com a família de Pepeu. Mas quase nunca se entrava ali, desde que ele havia morrido, há muitos anos.

Os meninos nem se lembravam direito do avô Pedro. E só sabiam que era um pesquisador, um antropólogo, um homem que lia e estudava bastante, porque o pai de Leleco contava algumas histórias a seu respeito.

Zenilda, a empregada da casa, é que uma vez por semana fazia faxina no quarto. Isso porque a mãe de Pepeu queria conservar os móveis e objetos do pai limpos e no mesmo lugar de sempre.

Impressionados, os três se deram as mãos e seguiram adiante. Dessa vez Pepeu liderava o grupo. Como estava morrendo de vontade de chegar logo, correu, arrastando os outros com ele. E só parou quando estava diante do quarto.

— *Arrente* vai entrar ou não vai? — falou.

O coração dos três primos batia acelerado. Ninguém conseguia dizer uma palavra. Alicinha fez "sim" com a cabeça. Leleco fez "não". Sem esperar mais, Pepeu esticou o braço, agarrou a maçaneta e abriu a porta.

Um após o outro, entraram com cuidado. E logo tomaram um susto. A lâmpada do teto estava apagada. E a luz branca, que iluminava tudo, saía de dentro de um velho baú de madeira.

4.
O BAÚ

Ficaram um longo tempo abobados diante daquela imagem fantástica. A luz branca saía por entre as tábuas do baú e se espalhava por todo o quarto como se fosse uma neblina.

— Essa luz não é de lâmpada comum — falou finalmente Alicinha.

— É uma luz mágica! — concordou Pepeu, os olhos brilhando.

— E essa caixa? — perguntou Leleco. — Quem deixou aqui? De quem é isso? O que tá acontecendo? Pode ser perigoso. Vam'embora!

— Embora nada! — respondeu Pepeu segurando o primo, que já se dirigia à porta. — Agora que a gente entrou, vamo' até o fim.

— Vocês não 'tão vendo que nada de bom pode sair dessa caixa? E se tiver uma bomba dentro dela, hein? E se essa luz trouxer algum tipo de doença, hein? E se for venenosa, hein? E se por acaso...

— Calma, Leleco! — gritou Alicinha.

— É. Calma, Leleco — repetiu Pepeu. — Que mania! E se aí dentro tiver um monte de pedras preciosas? Ou um mapa do tesouro?

Ele tinha os olhos vidrados. Alicinha, que era mais prática, não se entusiasmou muito:

— Vocês dois falam demais. Vamos abrir esse negócio e ver o que tem dentro.

Ela avançou na direção da arca e Pepeu foi atrás. Leleco acabou vencido pela curiosidade e os acompanhou, resmungando:

— Ora, droga! Depois não digam que eu não avisei.

No quarto, tudo estava disposto em ordem. De um lado havia uma estante cheia de livros e a porta do banheiro. Do outro, ficava a cama e uma poltrona. Ao fundo, uma escrivaninha com um globo terrestre em cima e uma mesinha de cabeceira. À entrada, um guarda-roupa. E, no chão, um tapete azul. Os móveis eram todos de madeira escura.

— Vou abrir — anunciou Pepeu, parado diante do baú, que estava no centro do quarto.

Alicinha tinha a testa franzida e um olhar tenso. Leleco mordia os dedos da mão. Pepeu se inclinou e puxou a tampa da caixa, mas ela não abriu.

— Uff! É muito pesada. Alguém me ajude.

Então Alicinha e Leleco se agacharam ao seu lado e colocaram as mãos sobre a arca. Os três puxaram com toda força. Porém, mais uma vez a madeira não saiu do lugar. Repetiram a ação algumas vezes, sem sucesso.

— Assim eu morro! — disse Leleco, bufando de cansaço.

— Deve estar trancada. Olha ali a fechadura — falou Alicinha, enxugando o suor da testa e apontando para a abertura de metal na borda da caixa.

— É, tem fechadura — concordou Pepeu irritado, após verificar o que a garota dizia.

Desanimados, os meninos se sentaram na cama. Alicinha passou a andar de um lado a outro com a mão no queixo.

— Que é que a gente faz? — perguntou Leleco.

— O jeito é arrombar essa porqueira! — gritou Pepeu.

— Mas como?

— Dinamite! A gente pode usar dinamite!

— Boa idéia!

— Péssima idéia — falou Alicinha calmamente. — Primeiro, é perigoso. Segundo, onde é que a gente vai arrumar dinamite? Terceiro, a dinamite explodiria a caixa com tudo que tem dentro, bocó!

Os garotos, que tinham se animado, voltaram a baixar as cabeças. Pepeu segurou as orelhas com as duas mãos. Leleco achou bonito e fez o mesmo. Depois, apanhou um objeto de cima da mesinha de cabeceira e ficou batendo com ele na coxa.

Os minutos passavam e os três não viam maneira de abrir a caixa. Às vezes, Pepeu e Leleco tinham uma idéia. Mas Alicinha logo surgia com uma negativa. Também ela, que sempre pensava pelo grupo, dessa vez não tinha um plano.

E assim transcorreu muito tempo. Até que todo mundo voltou a se calar e parecia que a arca ficaria trancada para sempre. Mas, de repente, a menina, que continuava andando de um lado a outro, olhou para as mãos de Leleco e disse:

— Leleco, o que é isso?

— Isso o quê? — perguntou ele com os olhos baixos.

— Isso na tua mão, Leleco!

— Ah, isso aqui? Uma chave.

— Onde é que tava essa chave, Leleco?

— Em cima da mesinha de cabeceira. Por quê?

Pepeu levantou a cabeça como se tivesse levado um choque:

— Será que...

— Pode ser — respondeu ela.

— Pode ser o quê? — perguntou Leleco sem entender.

— Que seja a chave do baú — explicou Pepeu, saltando da cama.

Tomou o objeto da mão do outro e o testou na fechadura da arca. Em seguida, ouviram um clique.

— Pronto! — comemorou o menino. — Agora é só levantar a tampa.

Fizeram o que ele disse e, finalmente, a caixa se abriu. Mas não conseguiam ver o interior dela. A luz que saía dali era muito forte.

Pepeu e Alicinha, então, estenderam o braço para dentro do baú, pensando em topar com alguma coisa. E ficaram espantados: era como se estivessem passando a mão pelo espaço vazio. Não sentiam nem mesmo a madeira da arca.

— Não tem nada aqui dentro! A gente não toca nem no fundo do baú! — disse Alicinha admirada.

— É *mermo*! O baú não tem fundo! — concordou Pepeu de olhos arregalados.

— Como não tem fundo? — perguntou Leleco, que não tinha se atrevido a imitar os primos. — Baú tem que ter fundo. Onde já se viu baú sem fundo? É só esticar o braço que a *gentche* acha! Baú sem fundo, hum!

Dizendo isso, esticou o braço o mais que pôde e, como não achava o fundo da caixa, continuou esticando e esticando, até que se desequilibrou:

— Uaaaaaaaai!

— Leleco! — gritaram Pepeu e Alicinha, tentando agarrar as pernas do primo.

Mas não conseguiram. Leleco caiu dentro da arca e desapareceu.

5.
LELECO DESAPARECIDO

Pepeu meteu os dois braços dentro da caixa, procurando o primo desesperadamente. Alicinha pôs as mãos sobre a boca e não dizia nada, nem piscava, sem acreditar no que tinha acabado de ver.

— Sumiu, Alicinha! Leleco sumiu! — gritou o menino.

— Como é que pode, Pepeu? Ele tem que estar aí em algum canto!

— Sumiu, desapareceu, escafedeu-se, já era! Adeus, Leleco! — disse o garoto, dando um chute raivoso na arca.

— Não acredito! Não acredito! — falou a menina muito nervosa e agarrou o braço do primo. — Que caixa é essa? Não tem fim? Não acaba nunca? A pessoa vai, cai e pronto, desaparece?

Pepeu olhou para ela espantado, porque Alicinha tinha quase sempre um jeito de quem conhece tudo e não se abala com nada. Mas agora estava com os olhos cheios d'água e os lábios trêmulos.

— Calma — disse ele, empinando o queixo e batendo a mão no peito. — Eu vou dar um jeito nisso.

— Que jeito?

— Ainda não sei, mas assim que souber tu "vai" ver.

— E se nós arrastássemos o baú para ver o que tem aí embaixo? Porque ele só pode estar em cima de um buraco ou coisa parecida!

— Boa idéia! Me ajuda aqui.

Os dois juntos tentaram empurrar a arca e logo perceberam que seria impossível: parecia colada no chão.

— Não dá — concluiu Pepeu, tirando as mãos do baú.

— E o pior é que eu não consigo pensar em nada que possa ajudar Leleco! — gemeu Alicinha. — Minha cabeça tá oca, vazia.

— Respira fundo.

A menina seguiu o conselho do primo. Pouco a pouco foi se acalmando, e logo estava andando de um lado a outro do quarto, com um dedo espetado na testa. Mas em seguida parou e sentou na cama, desconsolada:

— Não dá. Acho que fiquei burra pra sempre.

Pepeu suspirou e imaginou um último recurso: irritar a garota. Quando tinha raiva, Alicinha era capaz de grandes pensamentos. Resolveu arriscar.

— É — falou, estalando os lábios e balançando a cabeça. — Eu acho que tu tá ficando meio burrinha *mermo*...

A garota arregalou os olhos e mudou completamente de expressão:

— O quê?!

— Burra. Ficou burra.

Ela se levantou da cama com as mãos na cintura:

— Repita, Pedro Antônio! Repita, pra você ver uma coisa!

— Já disse, minha filha. Burra, burra, burra!

Alicinha odiava quando alguém dizia "minha filha". Ficou vermelha, os olhos querendo pular da cara.

— "Minha filha", não! Não me chama de "minha filha"!

— Desculpe, minha filha.

— Ah, eu vou te pegar, pirralho!

Ela disparou atrás dele. Ele fugiu pelo quarto, subindo na cama, trepando nos móveis, passando por baixo da cadeira, se defendendo como podia. De repente Alicinha parou e disse:

— Uma corda!

— O quê? — perguntou Pepeu sem entender.

— Uma corda! A gente pode jogar uma corda pra Leleco.

Finalmente tinha tido uma idéia. Pepeu sorriu:

— Boa!

E saiu correndo. Foi até a garagem, onde o pai guardava latas de tinta, pneus velhos, vidros, pregos, ferramentas — todo tipo de coisas. Não encontrou ali uma corda, mas achou uma mangueira de aguar plantas.

Voltou ao quarto esbaforido:

— Pronto! Agora é só a gente desenrolar a mangueira e jogar "ela" aí dentro. Tomara que Leleco consiga agarrar.

Fizeram assim. Pouco a pouco, a mangueira foi descendo, até sumir quase completamente. Nas mãos de Pepeu ficou apenas a ponta dela, que levava de um lado a outro da misteriosa caixa de madeira, na esperança de alcançar o primo.

— Leleco! — gritavam. — Leleco! Segura essa mangueira! Leleco! Olha a mangueira aí! Segura, Leleco!

Mas o menino não dava resposta.

— Não tá dando certo — suspirou Pepeu.

— Não. Só resta uma saída.

— Qual?

— Entrar no baú e ir atrás dele.

— Gostei!

— Mas como?

— Deixa comigo.

Pepeu puxou um pedaço da mangueira para fora da caixa e amarrou a ponta que tinha nas mãos ao trinco da porta do banheiro, dando vários nós apertados. Depois, se levantou, bateu uma mão na outra e disse, confiante:

— Vem. Depois de mim.

E assim os dois sumiram também no meio da luz branca.

6.
DENTRO DO BAÚ

Assim que desceram o primeiro palmo, os meninos comprovaram: para além da boca do baú havia um espaço vazio. Ficaram soltos no ar e balançavam, suspensos pela mangueira como se pendessem de um cipó. A luz branca parecia uma densa neblina.

— Cuidado, Alicinha. Se segura direito.

— Que lugar é esse, Pepeu?

— E eu sei!

— Pra onde é que a gente está indo? Isso parece... parece... não parece com nada que eu já tenha visto!

— Vai escorregando. De pouquinho em pouquinho a gente chega lá.

— Lá? Como "lá", se a gente nem sabe onde está?

— Vamo' indo. Vai escorregando. Em algum lugar a gente chega.

— É? E se isso for um abismo sem fim?

O menino engoliu seco. Tinha horror à idéia de um abismo em que a pessoa pudesse cair para sempre. E a possibilidade de estar dentro de um lhe dava agonia.

O País Sem Nome

— Que nada! Isso não é um abismo sem fim — disse, tentando tranqüilizar a prima e se tranqüilizar ao mesmo tempo.

— Como é que você sabe?

— Ah... pelo jeitão.

— Jeitão! Como assim, jeitão?

— Experiência. Eu sei que os abismos sem fim não são assim.

— Sabe, né? E quantos abismos sem fim você já viu na vida, hein?

Ele não respondeu, magoado com o fato de ela duvidar que conhecesse abismos sem fim. Ela se calou. Sem dizer uma palavra, os dois começaram a descer bem devagar, deixando a mangueira correr pelos dedos das mãos e por entre as pernas.

Após alguns instantes de descida, a menina disse de novo:

— Isso está com cara de abismo sem fim...

Pepeu soltou ar pelo nariz e remedou a prima, fazendo caretas.

— Pepeu? Ouviu o que eu disse? — perguntou ela.

— Isso está com cara de...

— Tá bom, tá bom, já sei! Vem. Vamo' descendo.

A luminosidade se espalhava por toda parte, encandeando seus olhos. Não conseguiam ver nada. A única coisa que ouviam era o eco de suas vozes. Fora isso, o silêncio era total. Não fazia frio nem calor. Não ventava nem era abafado. Ninguém sabia se era dia ou noite.

Passado mais algum tempo, Pepeu falou:

— Se pelo menos a luz não fosse tão forte... Vai ver que Leleco tá por aí e *arrente* não consegue enxergar.

— E desde quando Leleco voa?

— Não precisa voar, não. Ele pode ter se segurado em alguma coisa.

— Segurado em quê, se aqui só tem luz?

— Sei lá. Em alguma coisa.

— O quê, por exemplo?

— Ah!

Pepeu se calou. Alicinha insistiu:

— Aqui só tem luz.

— É *mermo*? E como é que tu "sabe", minha filha? — revidou o menino, usando sem perceber as palavras proibidas.

— Como é que é? — gritou Alicinha, irada.

— Eu perguntei como é que...

— Você me chamou de "minha filha"!

— Eu? Eu, não!

— Chamou! Agora eu te pego!

Ela desceu pela borracha atrás dele. Ele faz o mesmo, tentando escapar. Com os movimentos bruscos, a mangueira se esticava e encolhia, girando. Os dois rodavam como malabaristas de circo.

O País Sem Nome

— Calma, Alicinha.

— Calma, nada.

— Foi sem querer.

— Você vai ver o "sem querer".

— A mangueira vai arrebentar, Alicinha.

— Eu sei quem é que vai se arrebentar.

— A mangueira, Alicinha... Ela não agüenta tanto puxão... Não faz isso.

— Faço!

A menina estava enfurecida e continuava a perseguição, sem ouvir o que o primo lhe dizia. Pepeu já tinha escutado alguns rangidos e sabia que, com aqueles repuxões, a mangueira poderia se partir a qualquer momento.

— Pára, Alicinha! A mangueira tá rachando! — gritou desesperado.

— Você não me engana.

— Tô falando sério!

— Tem graça.

— Eu juro!

— Hum!

Ele se preparava para dar um berro tremendo, capaz de fazer a menina entender de uma vez por todas que estavam correndo perigo. Mas não teve tempo. Mal abriu a boca, ouviu um estalido: a mangueira cedeu.

— Aaaaai!

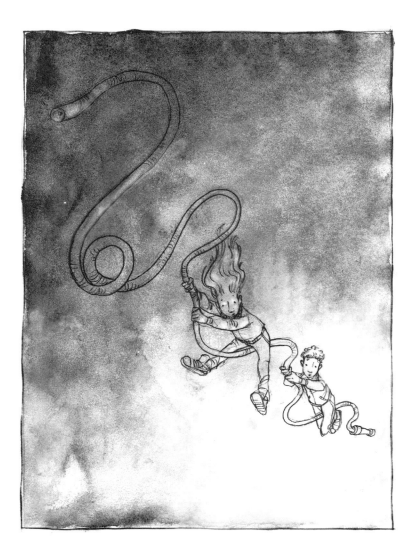

Alicinha arregalou os olhos e sentiu o sangue gelar, constatando da pior maneira possível que o que o primo dizia era verdade. A dupla mergulhou no espaço vazio como dois pára-quedistas. E foram caindo, caindo, caindo...

Caíram durante tanto tempo, mas tanto tempo que — como acontece sempre nessas horas — chegaram a adormecer.

E, quando acordaram, estavam num lugar inacreditável.

7.
UM LUGAR INACREDITÁVEL

Alicinha foi a primeira a despertar. Estava deitada sobre uma grama azul, muito fofa. Nunca tinha dormido tão bem. Ainda bocejando, olhou ao redor e, espantada, viu que estava numa floresta. Mas não numa floresta comum. Ali havia árvores e plantas desconhecidas, de todas as cores, formas e texturas.

Ficou em pé, sentindo um perfume maravilhoso. O vento era suave. Os ramos balançavam, compondo uma música deliciosa. Percebeu que o céu era marrom claro. Nele havia cinco sóis de tamanhos iguais, simetricamente alinhados. Um laranja, um creme, um rosa, um azul e um amarelo. Sua luz densa como tinta derramava infinitos arco-íris no espaço.

Tudo era bonito e agradável. Pensou estar dentro de um quadro. Abriu os braços, jogou a cabeça para trás e sorriu, admirada com a beleza a sua volta. Sentia vontade de dançar.

Mas, passados alguns minutos, se lembrou de Pepeu e teve um arrepio. Seu coração bateu apressado. Só se tranqüilizou ao ver que o primo dormia a uns dez passos dela, estirado sobre a mesma grama.

Foi até ele, se agachou e chamou:

— Pepeu!

Ele nem se mexeu. Apenas grunhiu:

— Hamzbsbs...

— Pepeu, acorda! — insistiu.

— Hamzbs... nham... a bola...

— Que bola! Levanta!

— Ainda não tá na hora da escola, mãe...

Impaciente, ela encostou a boca no ouvido do garoto, encheu os pulmões de ar e berrou:

— ACORDA!

No mesmo instante ele abriu os olhos e se sentou, girando a cabeça e perguntando:

— Onde é que a gente tá?

— Não tenho a mínima idéia — disse ela.

— Que lugar!

— Lindo, né? Parece conto de fadas.

— Será que a gente caiu dentro da história de um livro?

— Já pensou? — disse a menina, abrindo um sorriso. Mas depois, já séria: — Acho que não. Senão eu estaria vestida de princesa.

— E Leleco?

— Leleco ia ser meu servo.

— Não, boba, eu tô perguntando se tu "viu" Leleco.

— Não me chama de boba!

Pepeu baixou a voz:

— Viu?

— Você está vendo algum Leleco por aqui? — perguntou ela ainda irritada.

— Não. Onde será que ele tá? Vamo' procurar "ele"!

Após se levantar e admirar a paisagem, Pepeu deu a mão à garota e os dois começaram a andar por entre aquelas árvores fantásticas, impressionados com o que viam.

Alicinha catava as flores que achava mais bonitas e falava o tempo todo, com jeito de entendida, sobre o cheiro e a cor das plantas. Enquanto isso, Pepeu se servia das frutas que encontrava, sempre chamando pelo primo:

— Leleco!

Mas os minutos foram passando e, por mais que caminhassem, não ouviam resposta. Após mais de uma hora de andança, chegaram a uma longa ponte de pedra, que passava sobre um rio de águas pretas e pegajosas como piche.

Atravessaram a ponte. Porém, ao chegar ao outro lado, notaram que a floresta ali mudava completamente. As árvores eram negras. As plantas não tinham frutos nem flores, só espinhos. As folhas eram secas. Os matos e a grama, desbotados.

— Que lugar horrível! Será que não é perigoso? — falou Alicinha.

— Tem medo, não. Tu tá comigo — disse o menino, batendo no peito e empinando o queixo.

— Grande coisa!

Ele a convenceu a seguir em frente, cortando pelo meio da vegetação áspera e sombria. Sem que percebessem, pouco a pouco escurecia. Alicinha, que antes parecia tão contente com a caminhada, agora reclamava:

— Não agüento mais. Estou morrendo de cansaço. Vamos voltar!

— Só mais um pouquinho — insistia Pepeu.

Ela seguia. Porém, mais à frente, voltava a dizer:

— Cansei. Que frio! Vamos voltar.

— E Leleco? — perguntava o garoto.

Então ela continuava. E assim eles se afastavam cada vez mais da ponte. Até que uma hora, Alicinha se soltou da mão de Pepeu, se sentou numa pedra, jogou as flores no chão, cruzou os braços e disse:

— Chega! Não ando mais.

— Mas Alicinha...

— Não, não e não!

E por mais que ele insistisse, falando mil coisas, não conseguiu convencer a menina a continuar. Sentou ao lado dela na pedra e ali permaneceram um longo tempo.

Quando menos esperavam, ficou de noite. E aquele lado da floresta, que antes era apenas feio, ficou apavorante. Mil sombras bailavam como fantasmas no escuro.

— Vamos voltar! — repetiu Alicinha, agora num tom aflito.

— Mas voltar por onde? — perguntou o garoto, coçando o pescoço.

— Por onde a gente veio. Pela ponte.

— E tu "sabe" chegar lá?

— Eu? Claro que não. Você não sabe?

O menino abanou a cabeça lentamente.

— Não acredito, Pepeu! Nós estamos perdidos! — gritou ela.

Não tinha acabado ainda de falar quando ouviram um som. Levantaram-se assustados e escutaram, atentos. Eram passos. E se aproximavam.

Tinha mais alguém naquela floresta além deles.

8.
PASSOS NA FLORESTA

Pepeu e Alicinha não conseguiam se mover e nem sabiam o que pensar, paralisados com o susto.

— Vem. Rápido! Vamos nos esconder — falou a menina, por fim, e puxou o primo pela mão.

Eles correram e se colocaram atrás de um arbusto. Ficaram agachados, olhando por entre os ramos. A escuridão não permitia que vissem muito longe.

— Eu sabia que devia ter monstro aqui — sussurrou Pepeu, aguardando a aparição do desconhecido.

— Monstro não existe — disse a menina, entortando a boca.

— Claro que existe.

— Que criancice, meu Deus!

— Quer apostar?

Alicinha ia dizer qualquer coisa, mas se calou porque naquele instante ouviram um graveto se partir bem perto.

— Silêncio — pediu ela e abaixou a cabeça, pressionando o corpo contra o chão.

Não tinham mais dúvida. Alguém estava vindo na

direção deles. Quem era? Ou o que era? Gente ou bicho? Naquele lugar, onde as coisas se mostravam tão diferentes, tudo podia acontecer.

Alicinha tinha dito que monstros não existiam. Mas ela mesma não acreditava muito nisso. Sabendo que havia algo ali na mata, só podia torcer para que Pepeu estivesse enganado.

Já o menino estava ansioso para que o desconhecido aparecesse. E já se imaginava lutando de espada com ele.

O coração dos dois batia acelerado. Alicinha sentia falta de ar. O menino coçava a nuca. E assim esperaram, apreensivos, até que viram um vulto entre os matos.

Ele parou bem na frente dos meninos. Pelo pouco que puderam enxergar, a figura era da altura de um homem e estava vestida numa espécie de batina cor de cenoura. Numa mão segurava uma bola branca que pendia entre duas cordinhas. Dela, saía uma luz que clareava o caminho. Na outra mão, carregava um cesto.

De repente se curvou e catou uma folha, a um palmo do nariz de Alicinha. Sua mão era fina, muito grande e tinha seis dedos, sem unhas. A garota prendeu a respiração e engoliu seco.

A criatura se endireitou, pôs a folha dentro do cesto e, cantarolando uma música estranha, continuou a caminhada. Quando já estava longe, Alicinha ficou em pé e soltou um suspiro:

— Você viu aquilo?

— Se vi! — disse o menino com um assobio.

— E agora?

— Agora a gente vai lá, pega o bicho e dá uma lição nele.

— Que lição o quê! A gente tem é que arrumar um jeito de sair de... Pepeu!

A garota deu um grito inesperado. Pepeu levou um susto e se levantou num pulo, sem entender.

— Sair de mim? — perguntou.

— Não! Ali! Ali! — continuava a gritar ela, apontando para um pedaço de terra em que havia a marca de um tênis.

— Que foi?

— Ali! Ali no chão!

— Onde?

Alicinha se aproximou do lugar que apontava e mostrou.

— Uma pegada! — falou o menino.

— É a pegada de Leleco! — disse ela.

Eram várias e se estendiam ao longo da terra, que formava um caminhozinho longo e estreito por entre os matos.

— Tem certeza que é de Leleco?

— Absoluta!

— Então é só seguir.

E foi o que eles fizeram, de mãos dadas. Após alguns passos, viram que a picada se alargava e, ao seu redor, as árvores ficavam mais esparsas. Os dois enxergavam melhor, também, porque agora chegava até eles a luz da lua. Aliás, das luas. Eram três, tinham a forma de anéis e passavam umas por dentro das outras.

— As pegadas acabam aqui — disse Alicinha frustrada, ao fim de meia hora.

Tinham chegado a uma encruzilhada. Dois caminhos se abriam para os lados e um seguia adiante, indo dar naquele mesmo rio negro como piche que tinham visto antes, ao atravessarem a ponte. As marcas deixadas por Leleco se interrompiam exatamente ali, deixando-os sem pista.

As entradas laterais, por sua vez, apresentavam uma paisagem ainda mais horrenda que a que tinham visto até aquele momento. Os matos eram altíssimos, ásperos e entrelaçados. O solo era duro, cheio de pedras. Espinhos e cerdas cortantes se multiplicavam. Não havia árvores, por feias que fossem.

— Esse mato é pavoroso! — exclamou Alicinha, se arrepiando.

—Já disse: você *está* comigo — falou Pepeu, batendo no peito e imitando o jeito dela falar.

— Sei!

— E então? Vamo' em frente?

— É o jeito, né?

Deram as mãos e seguiram adiante. Mas não tinham dado ainda cinco passos quando foram interrompidos por uma voz:

— Se eu fosse vocês, não chegava nem perto desse rio.

9.
O DONO DA VOZ

Os meninos estavam horrorizados, olhando a figura horripilante que estava a dois passos deles. Não sabiam o que era pior, correr e se arriscar por uma daquelas trilhas ou ficar e enfrentar o sujeito, que era o mesmo que tinham visto pouco antes.

Agora, de frente, podiam observar melhor seu corpo e ver seu rosto. Os olhos eram imensos, mais altos que largos. Mas as pupilas não circulavam por toda a sua extensão: ficavam sempre embaixo, como se tivessem desabado ali.

Os narizes eram dois. Um, longo e fino. O outro, menor e mais gordo. Na boca em forma de meia lua, havia poucos dentes: três de um lado, dois de outro. Os lábios eram finos e sumidos, da mesma cor amarelada da pele. As bochechas, encovadas.

De testa alta e cocuruto arredondado, sua cabeça lhe dava um aspecto de caveira. Tinha raros fios de cabelo arrepiados e nenhum pescoço: seus ombros chegavam até as orelhas, que eram enormes e reviradas.

O País Sem Nome

Ele era encurvado e possuía uma barriga pequenina e baixa, mas proeminente, visível sob a bata alaranjada, que lhe batia no meio da canela e estava toda rota e esfiapada.

Os braços longos desciam até a altura dos joelhos e terminavam nas duas manoplas. Os pés eram estreitos e compridos, com seis dedos sem unhas como as mãos, e estavam calçados num pedaço de madeira amarrado com tiras. Não tinham polegares.

— E então? — disse o sujeito, impaciente e com voz grossa. — Vão ficar aí me olhando com cara de quem engoliu o dedão do pé? Eu não tenho o dia todo! Aliás, vocês estão atrasados. Isso não é hora de chegar. Huf!

Disse isso, se virou e começou a andar, carregando sua cesta cheia de folhas e sua estranha lanterna. Caminhava da seguinte maneira: uma perna saltava bruscamente e se mexia no ar como se estivesse dando um desastrado drible de futebol. Em seguida era arremessada para frente e arrastava o restante do corpo. Quando voltava ao chão, depois de um curto intervalo, a outra realizava o mesmo movimento.

Alicinha e Pepeu se olharam sem entender nada. Quem era aquele... aquela... o que era aquilo, afinal? O que quer que fosse, falava como se já estivesse esperando a chegada dos meninos. O que queria dizer?

Por um momento, o espanto dos dois foi substituí-

do pela curiosidade. Alicinha engoliu seco e, cuidadosa, sem sair do canto, chamou:

— Moço!

O outro parou, se voltou e perguntou, antipático:

— Que foi agora?

— O senhor disse que estava esperando por nós?

— Não, eu tava esperando minha vó!

— Mas... mas, como o senhor sabia que...

— Parou! Eu não tenho tempo pra ficar jogando conversa fora. Se querem saber onde está o primo de vocês, muito bem. Se não, adeus. E vê se não me perturbam!

Se Pepeu e Alicinha já estavam confusos, agora então é que a cabeça deles ia a mil. O homem, ou o que quer que fosse, sabia onde estava Leleco?

A idéia de que podiam encontrar o primo fez Pepeu se mover. Até então ele tinha ficado quieto, medindo o sujeito da cabeça aos pés, pronto para reagir no caso de um ataque e se lamentando por não ter um escudo de cavaleiro andante. Mas, ouvindo aquelas palavras, deu um passo à frente e perguntou:

— O senhor sabe onde tá Leleco?

— Sei! — gritou o outro contrariado, soltando ar pela boca e fazendo um gesto de desespero. — Quantas vezes a gente tem que falar com vocês, hein? Será possível que têm o ouvido no lugar do dedão do pé? Mas que coisa insuportável! Querem saber? Chega!

Ele se virou novamente e retomou o passo, resmungando. Pepeu segurou no braço de Alicinha e correu na direção dele:

— A gente vai com o senhor.

— "A gente vai com o senhor" — remedou o outro.

— Se eu demorasse tanto tempo pra decidir o que fazer, ainda tava na barriga da minha mãe. Huf! E vê se vão me ajudando aqui, que eu não tenho mais idade pra carregar essas coisas.

O sujeito entregou a lanterna para Pepeu e a cesta para Alicinha, que passaram a acompanhá-lo aos arrancos: corriam quando ele dava um passo e paravam esperando que desse o seguinte.

Tinham muitas perguntas a fazer, mas não ousavam falar nada. Não podiam confiar no outro. E trocavam olhares nervosos.

Andavam entre matos, arbustos e árvores murchas e espinhentas, ajudados pela luz do lampião redondo. Ao longo do caminho, o estranho apontava a feia vegetação e falava maravilhas de uma ou outra planta horrível:

— Vejam como é linda! Sim, um primor. E aquela outra? Ah, belíssima!

Os meninos se escandalizavam, mas seguiam adiante. À medida que se embrenhavam mais e mais na mata, a preocupação deles aumentava. Para onde o monstrengo estava indo? Será que sabia mesmo sobre Leleco? E se fosse mentira? Se estivesse arrastando os dois para uma armadilha?

Alicinha, que não estava gostando nada daquela história, reuniu coragem e resolveu falar:

— O senhor... Como é mesmo seu nome?

— Raripuedigoriemfile. Mas pode me chamar de Raripuedigoriem.

— Seu Raripue... di... go... Seu Rari, para onde o senhor está levando a gente?

— Pra minha casa. Ou você acha que eu passo as noites na floresta, observando as luas?

— Fica longe? — perguntou Pepeu.

A criatura torceu os dois narizes:

— Não!

Foram em frente e, ao contrário do que Rari tinha dado a entender, andaram muito. Tanto que Alicinha já estava irritada. Leleco tentava acalmar a prima. Até que ao fim de uma hora, mais ou menos, chegaram a uma clareira.

Rari apontou para frente:

— É ali.

Pepeu e Alicinha olharam para onde ele indicava e tomaram um susto.

10.
A CASA DE RARI

A casa que Rari apontava para os meninos era inteiramente torta. Uma ponta ficava no chão e o restante dela subia, suspenso no ar, à medida que se afastava dali. Além disso, era pintada de preto, tinha uma única janela, não possuía porta ou telhado e estava toda esburacada.

— Não é linda? — falou o monstrengo, sorrindo com o canto da boca e mostrando um dente. — Eu mesmo que fiz. Até os buracos foram idéia minha. Na verdade, a arquitetura sempre me encantou. Medida e proporção, eis o segredo. E arranquem o dedão do meu pé se eu estiver enganado!

Passado o instante de espanto, os garotos se entreolharam sem saber o que dizer. Alicinha franzia a testa e balançava a cabeça. Percebendo que a menina estava prestes a ter um ataque de raiva, Pepeu mentiu com entusiasmo para agradar o outro:

— Linda!... Muito bonita mesmo, seu Rari. O senhor que fez? Ninguém diz!

— É, ninguém diz. Eu, por exemplo, diria que foi um furacão que fez — falou Alicinha, cruzando os braços.

— Eu não entro aí!

— Psss — pediu o primo. — Não fala assim que o "coiso" escuta!

— Pois que escute. Eu não me importo. Já não agüento mais essa conversa de "essa planta feiosa é linda", "essa árvore queimada é maravilhosa" e "meu dedão do pé isso, meu dedão do pé aquilo". Esse daí não regula direito, Pepeu. E eu que estava com medo dele!

— Alicinha — insistiu o menino —, ele sabe onde tá Leleco. Não ouviu, não?

— Ouvi. Ouvi um monte de besteira, isso que eu ouvi. "Porque meu dedão do pé isso e meu dedão do pé aquilo e não sei mais o quê."

— Algum problema? — perguntou Rari, se curvando ainda mais e encarando os dois.

— Nenhum — falou Pepeu, respirando fundo.

— Podemos ir agora ou os dois vão ficar aí o resto da noite? Quem sabe a gente pode entrar em casa só amanhã de manhã, não? Sempre se pode dormir no mato. O que Vossas Excelências acham? Huf! Será possível, esse povo? A gente dá a mão, eles querem o dedão do pé!

Disse essas palavras e seguiu em frente. Alicinha e Pepeu discutiam:

— Eu não entro! — dizia ela.

— Vamo', Alicinha, ele sabe onde tá Leleco!

— Ele não sabe nem onde está a cabeça dele. Onde já se viu uma casa dessa!

— A gente não vai morar aí, Alicinha. É só entrar e ouvir o que o outro vai dizer.

— Eu sei o que ele vai dizer: "meu dedão do pé é isso, meu dedão do pé é aquilo".

— Pensa em Leleco, egoísta!

— E, além do mais, como é que se entra nesse negócio?

— Se entra pelo... pela... Boa pergunta.

Enquanto dialogavam, Rari chegou a um passo da casa. Quando deu pela falta dos dois, ergueu os braços com impaciência, rosnou, grunhiu, fez caretas, estirou a língua preta e gritou alguma coisa que não deu para os meninos escutarem.

— Olha aí. O Doutor Resmungão está chamando a gente.

— 'Bora, Alicinha.

— Tudo bem. Eu vou. Agora, se ele ficar falando besteira, adeus.

Pepeu arrastou a menina e os dois alcançaram Rari, que estava de braços cruzados, olhando para o céu e assobiando para controlar a raiva:

— Já se decidiram ou querem mais dois ou três meses pra pensar?

— Só uma perguntinha, Doutor Resm... Só uma perguntinha, seu Rari — falou Pepeu.

— Pois não, Excelência.

— Como é que a gente vai entrar?

— Como assim? Pela janela, claro.

— Mas como a gente vai chegar lá em cima?

— Você é cego, por acaso? Não tá vendo a escada?

— Escada?

— É, aquela coisa que tem um degrau depois do outro, já ouviu falar? Huf! Venham.

Os meninos não estavam vendo escada alguma. Mas, para espanto deles, Rari começou a subir no espaço, andando sobre degraus invisíveis. Então, primeiro com medo e depois achando aquilo divertido, os dois seguiram o dono da casa e entraram também através da pequena janela.

— Me dêem isso aqui — disse Rari quando já estavam dentro, tomando a lâmpada redonda da mão do menino e a cesta da mão da menina.

No interior, a residência era menor do que parecia por fora. Ali não havia paredes dividindo quarto, banheiro, cozinha: tudo era uma coisa só. E era incrível como se podia andar pelo chão inclinado, que mais parecia um escorrego, sem deslizar.

Os móveis eram quebrados. Cama, poltronas, estantes, livros, sofá estavam partidos ao meio, sem a outra metade. Por toda parte, viam-se espalhados pedaços de objetos que os meninos não sabiam para que serviam. Tudo estava fora de ordem e coberto de poeira.

— Que porcalhão! — falou Alicinha ao ver a decoração confusa.

Rari colocou a lâmpada num buraco da parede e foi se sentar atrás de uma mesa que tinha apenas dois pés, pedindo que os meninos tomassem as cadeiras sem espaldar à sua frente. Depois, apanhou um punhado das folhas secas, sujas de terra, que estavam no cesto e o levou à boca. Pegando outro tanto, ofereceu:

— Querem? Uhm! Pelo dedão do meu pé, isso está uma delícia! Provem...

Os meninos recusaram a oferta com nojo. Já ele, mastigava de olhos fechados, como se aquilo fosse uma comida muito saborosa. E passou um tempão assim, sem falar nada, a não ser: "Que delícia! Uhm! Ótimo!".

Alicinha perdeu a paciência:

— É o seguinte, Doutor Resmungão: o senhor vai ou não vai dizer onde está nosso primo?

— Não se pode nem comer em paz!

Abusado, ele devolveu algumas folhas ao cesto, engoliu as que tinha na boca e disse naturalmente:

— Seu primo foi capturado.

11.
LELECO CAPTURADO

Alicinha se levantou da cadeira num pulo e gritou, pálida:

— Capturado? Leleco foi capturado? Como assim? Como é que pode? Por quem?

Rari apertou os olhos e disse, contrariado:

— Dá pra falar mais baixo?

— Por favor, seu Rari, pra onde levaram nosso primo? — perguntou Pepeu aflito.

— Os Tômedes capturaram seu primo. Eles...

— Tômedes? Quem são esses? — interrompeu Alicinha.

— Será possível que eu tenho que explicar tudo? Bom, os Tômedes levaram o primo de vocês pra Capital. Acontece que...

— Capital? Capital de onde? Isso aqui é um país? Como se chama? — intrometeu-se de novo a menina.

Ela e Pepeu estavam em pé, agoniados e nervosos. Rari passou a mão na testa, respirou fundo e disse, contrariado:

— É um país, sim. E se chama País.

— Como? Então o país se chama País? Essa é boa! Um país sem nome...

— Foram os Tômedes que o chamaram assim — continuou o outro, ainda se controlando. — Eles são muito criativos, os Tômedes... Tão criativos quanto vocês, fazendo perguntas. Aliás, foram eles também quem inventaram de fazer um país, que isso aqui antes era uma terra que cada um chamava como queria, dependendo de onde morava. Agora...

— E a capital do País Sem Nome se chama Capital? Ha, ha!

O monstrengo levou as duas mãos ao rosto e torceu os narizes com força, trincando os dentes e encarando Alicinha com extrema impaciência.

— Alicinha, deix'ele falar! — irritou-se Pepeu, que estava ansioso para saber o destino de Leleco.

A menina se calou. Rari suspirou e prosseguiu, após um grunhido:

— Como eu ia dizendo, os Tômedes levaram o menino pra lá, pra Capital. Vocês, se quiserem se dar ao trabalho, vão encontrá-lo no Mercado. Agora, digo logo: se fosse eu, não ia. É longe e perigoso.

— E o Mercado? Onde é que fica? — perguntou Pepeu.

— O Mercado de Capital? Eu acho que fica em Capital, né? O que é que você acha? No dedão do seu pé é que não fica — falou Rari, provando mais uma porção de folhas da cesta.

— E como a gente faz pra encontrar Leleco? — perguntou Pepeu.

— Sei lá! Como é que eu vou saber? — resmungou o mal-humorado, cuspindo pedaços de folha.

Ouvindo aquilo, Alicinha levou as mãos à cintura, vermelha de raiva:

— O senhor quer explicar essa coisa direito, Resmungão? Fica aí falando de uns lugares que a gente não conhece, com um povo que a gente não conhece, num mundo que a gente não conhece e não sabe nem como é que veio parar nele... E não explica nada! Faz essa cara de sapo atropelado aí e pronto! Como é que a gente vai saber do que o senhor está falando, hein? O senhor acha que todo dia a gente entra num baú e vem parar num lugar sem nome, onde as pessoas moram em uma casa torta e têm dois narizes?

Alicinha gritava e agitava um dedo na direção de Rari:

— E tem mais: como é que o senhor sabe que Leleco foi capturado por esses "Tomes" aí, hein? E se tudo for mentira? Eu já estou cheia das suas histórias! Por que é que não vai pentear macaco? Pode deixar que nós achamos o Mercado sozinhos. Vamos, Pepeu. Estamos perdendo tempo aqui.

Dizendo isso, segurou o braço do primo e o arrastou na direção da janela, com passadas largas e pesadas. Pepeu pedia calma. Finalmente, conseguiu segurar a prima a poucos passos da saída. Ela cruzou os braços e ficou de costas para a mesa, olhando para o teto e balançando a perna. Ele se voltou para Rari e perguntou gentilmente:

— O senhor pode ensinar o caminho até Capital? Ou... tem algum mapa que *arrente* possa usar?

Calado e magoado, o resmungão segurava o rosto com uma das mãos e fazia desenhos imaginários sobre o topo da mesa com o dedo, sem encarar o menino.

— Por favor, seu Rari, o senhor sabe como chegar em Capital? — repetiu Pepeu.

O monstrengo se mexeu na cadeira, fez um bico, trocou a mão que segurava o queixo e cruzou as pernas. O garoto coçou a nuca e se voltou para Alicinha, que continuava de cara feia:

— Pede desculpa a ele, Alicinha.

— Eu? Pedir desculpa ao Focinho Duplo? Nem morta!

— Pede, Alicinha!

— Tem graça!

Discutiram assim durante alguns minutos. Até que finalmente Rari disse, como se estivesse falando para si mesmo e sem nenhum interesse:

— Ai, ai, acho que tenho um mapa aqui em algum lugar...

Pepeu parou e se virou, esfuziante:

— Um mapa? É justamente o que *arrente* precisa! Empreste o mapa, seu Rari!

— Se me pedissem desculpa... — disse o monstrengo com voz queixosa.

— Pede desculpa, Alicinha! — repetiu Leleco, esbravejando com a prima.

— Tudo bem, eu peço! Mas vou fazer isso por Leleco. E não por causa do Caveirão aí — concordou a menina, ainda irritada. E em seguida, sussurrou com má vontade: — Desculpa.

Rari se espichou, descruzou as pernas e colocou a mão atrás da orelha:

— Quê?

— Desculpa... — repetiu ela, num tom de voz um pouco mais alto.

— Ahn?

— Desculpa! Desculpa! Pronto, já disse! — gritou a menina por fim.

Satisfeito, ele abriu lentamente uma gaveta da mesa, tirou um papel sujo e amassado de dentro dela e o passou para Pepeu, que deu uma olhada na folha e a guardou no elástico do *short*, dizendo:

— 'Brigado, seu Rari. E até a próxima. Vamo' embora, Alicinha.

— Podem ir. Quem se importa? — resmungou o outro. Mas quando os dois se viraram e se dirigiram à janela, chamou: — Ei!

E, sem dizer nada, entregou ao garoto a lâmpada redonda e duas rodelas pretas, parecidas com pedras ou peças de jogo de damas, que tinham consistência de barro.

— Muito obrigado — disse Pepeu, alegre por não ter que caminhar no escuro. — Mas pra que servem essas pecinhas?

— Ora pra que servem, pra que servem! Huf! É cada uma! E vou logo dizendo: quero a lanterna de volta. É minha. Se acharem seu primo algum dia e retornarem vivos, o que eu duvido muito, tragam a lanterna de volta! E agora vê se vão logo, que eu tô cansado e quero dormir.

Pepeu guardou as rodelas no bolso do casaco, fechou o zíper, deu novamente a mão a Alicinha e saíram.

Mas não tinham ainda dado dez passos, quando a terra começou a tremer. Foram sacudidos para cima e para baixo, enquanto ouviam pancadas ensurdecedoras no chão.

— O que é isso? — gritou Alicinha.

E Pepeu apontou para frente, berrando:

— Um gigante!

12.
O GIGANTE

Pepeu viu o gigante por cima das árvores negras. Tinha pêlo por todo o rosto, cabelos saíam de suas orelhas e de seu nariz. A cada passo seu, os dois primos eram jogados para cima e para baixo. As plantas tremiam. O chão parecia que ia rachar.

E ele avançava, afastando as folhas com as mãos cabeludas, de unhas longas e torcidas como as de uma bruxa. Baba escorria dos cantos de sua boca de dentes sujos e irregulares.

— Corre, Pepeu! — gritou Alicinha para o primo, que continuava olhando fascinado para o grandão.

— Por quê? — perguntou o menino. — Deix'ele vir que eu dou um jeito nele! Dou uma e outra, e mais uma e outra. Faço assim, assim...

Alicinha não esperou que terminasse de falar: puxou o garoto pelo casaco e o arrastou para trás de umas pilhas de lixo que Rari deixava ao redor de casa, certamente para enfeitar o ambiente.

Naquele momento, o titã atravessou a última fileira

O País Sem Nome

de plantas e apareceu de corpo inteiro. O tronco, os braços e as pernas dele eram pequenos, finos e cheios de pêlos. Já as mãos, os pés e a cabeça eram enormes. Os pés, além disso, ficavam em sentidos opostos, um para frente e outro para trás, e tinham unhas grandes e curvadas como raízes. Para andar, inclinava o corpo para frente e para trás como um joão-bobo.

— Êpi, êpi, êpi! — disse, farejando o ar. — Tô sentindo *chéiro* de comida por aqui, rum, rum! É, sim. Sim, sim. *Chéiro* de comida, ai.

Os meninos o acompanhavam com os olhos, por entre pedaços de madeira e gravetos. Ele chegava junto de uma pilha de lixo, esticava o pescoço e farejava. Sem encontrar o que queria, seguia para outra. Estava sujo de lama e tinha pedaços de folhas grudados no corpo. Suas roupas eram velhas e amassadas. Quando falava, estirava o lábio de baixo e fechava um olho.

— Ah, uhm. *Pré* que lugar será que a comida foi, oh? Será que ela *fogiu*? Terá *fogido*? Não pode, ih. Tem que estar aqui por *elgum* lugar. Tem, tem. Babal *pracura*. Babal vai *pracurar*, ai.

Seguiu adiante, investigando os restos empilhados. À medida que se aproximava, Alicinha e Pepeu iam sentindo um cheiro horrível.

— Que fedor! — falou a garota, tapando o nariz.

— Não fui eu, hein! Deve ter sido o gigante! — disse

Pepeu. — Mas que língua é essa que ele fala? Parece que tá cantando...

— Japonês, bobo. Nunca ouviu?

De repente o gigante estremeceu e franziu as sobrancelhas de fios longos e assanhados:

— Uh, eh! Tô ouvindo *barolho*. Que *barolho* é esse? Acho que é *comiiiida*, ai. Acho que é co-mi-da. Rarri! Cadê *vucê*, comida? Babal está com *fame*, muita *fame*.

Ao escutar aquilo, Alicinha ficou pálida. Disse, com voz trêmula:

— Pepeu, a comida é a gente! Ele quer comer a gente!

— Pois que venha! Dou-lhe uma e...

— Silêncio!

A menina tapou a boca do primo tarde demais. O grandão inclinou a cabeça num estalo, olhando na direção deles:

— Eiu, eiu! Ouvi sim, naná. Ouvi, sim. Tem comida por aqui *nelgum* lugar. Tem comida. Cadê, om? *Unde* está, ihn? Babal *pracura*. Babal *pracura*, ih, eh.

Babal andou mais ligeiro. Com isso, os meninos voaram alto e suas cabeças apareceram acima do monte de destroços.

— Eh, uh! Eu vi. Vi, vi! Com-comida. Com-om-mida. Com-mi-da. Tem comida *atrés* daquilo. Vou lá, vou. Sim, sim. Aui! Ver o que *ancontro* de comer.

O bichão correu para onde os dois primos estavam.

Vendo aquilo, Alicinha segurou o garoto pela camisa e o puxou com ela. Mas, por mais que tentassem correr, eram jogados para cima e suas passadas se perdiam no ar. Quando menos esperavam, o gigante estava junto.

— Quieto, Pepeu! Ele tá bem aí!

— E eu tô bem aqui, só esperando "ele".

— Tudo bem. Mas espera de boca calada!

— Se ele não me provocar.

— Psss!

Babal curvou o pescoço e olhou por cima dos entulhos. Os meninos se agacharam o mais que puderam.

— Ih, ahn! É aqui, é, que está minha comida, uh! Ei, ei, co-mi-da. Cadê *vucê*, co-mi-da?

Um bafo fedorento e quente saía de sua boca e chegava até os meninos.

— Argh! Será que ele não usa escova de dente? — sussurrou Alicinha, cobrindo o nariz com a gola da camisa.

O titã procurava. Mas, apesar de sua altura, não conseguia ver os dois primos.

— Ahn, ahn! Minha comida *somiu*, ai! Que será de Babal, om? Babal está com *faaame*!

Coçou a cabeça, suspirou e se afastou, indo se sentar sobre uma pedra. Abaixou a cabeça e uma lágrima escorreu de seus olhos.

— Ehn! Quanta *fame*, ih! Quanta *fame*!

Parecia ter desistido da caçada. Porém, naquele instante, por puro azar, Alicinha, que estava ajoelhada e encolhida, acabou apoiando a mão sobre um espinho e soltou um grito de dor.

Babal se levantou, com os olhos brilhando:

— Uhm, uhm! Comida, ih. Co-mi-da!

Aí se aproximou novamente deles, enfiou as mãos enormes e peludas por trás do lixo e conseguiu apanhar os dois.

— Iei, iai! É minha, a comida! *Consagui* pegar. É minha, uh. Minha, bem! Ih! — comemorou, fazendo uma dança esquisita. E, voltando a se aquietar, concluiu: — Que *fame*! Pé, pó! Não vou *asperar* mais. Não, não!

Então ergueu os meninos na concha da mão e abriu a bocarra, pronto para abocanhar suas presas como quem come amendoim.

— Socorro! — gritou Alicinha.

— Me larga! — reagia Pepeu, tentando acertar o gigante com a lanterna que Rari havia emprestado.

De repente, girou a lâmpada no ar e a atirou como uma boleadeira no olho do gigante.

— Uairru! Uairru! *Dóeu*, him! — gritou este, esfregando o olho e esperneando feito uma criança.

Vendo aquilo, Pepeu voltou à carga, dizendo:

— Toma!

Dessa vez, a bola luminosa atingiu a testa de Babal

e se espatifou. Um pó branco saiu de dentro dela e, como uma nuvem de poeira, cobriu o rosto do gigante, que acabou espirrando:

— ATCHUUUUUUM!

E o vento produzido por seu espirro lançou os meninos a muitos metros de distância, girando pelo espaço.

— Aaaaah!

Até que caíram no rio — aquele mesmo rio de águas negras e pegajosas que tinham visto antes, do qual Rari tinha aconselhado que se afastassem — e foram arrastados por uma correnteza furiosa.

— Me dá a mão, Alicinha! — gritava o garoto.

Mas os dois estavam muito apartados. Por mais que se esforçasse, Pepeu não conseguia se aproximar da prima. E eles seguiam assim, jogados como duas folhas de papel sobre as ondas.

— Eu... estou... afundando... — disse a menina a certa altura, sem fôlego.

— Nada! — pediu Pepeu.

Ela não conseguia mover os braços direito.

— Nada, Alicinha! — insistia o menino. E, percebendo que a prima engolia água e afundava, se desesperou, gritando: — Alicinha! Aliciiinha! Alicinhaaa!

A garota não respondia e se afastava cada vez mais dele.

— Aliciiinha! Aliciiinhaaa!

Pouco depois a perdeu de vista. E reparou, aflito, que a correnteza o empurrava na direção de um imenso buraco, como um abismo, no meio do rio.

Sem poder desviar, foi levado e atirado para dentro do precipício.

13.
DENTRO DO PRECIPÍCIO

Pepeu despencou no vazio de uma altura terrível, entre quedas d'águas que o cercavam de todos os lados. Viu a abertura do buraco lá em cima se distanciar até sumir como um pequeno ponto branco. Tudo ficou completamente escuro.

— Uaaah!

Aos poucos a passagem se estreitava e as quedas d'água se aproximavam. Até que o espaço ficou pouco maior que seu corpo. Agora, deslizava por um túnel, empurrado por um único jato d'água. A descida não era mais vertical e se enchia de curvas. Tinha a impressão de estar num infinito tobogã.

— Aaaaah!

Essa agonia durou um longo tempo. Até que atravessou o final do túnel e foi atirado como uma flecha no ar. Caiu dentro de uma espécie de mar de águas vermelhas, salgadas e viscosas como óleo.

Quando voltou à superfície, percebeu que estava dentro de uma caverna, cercado por grossas paredes de pedra. No alto de cada uma delas havia buracos como aquele que tinha atravessado para chegar ali. A luz de uma tocha ou lampião brilhava distante e iluminava um pouco o ambiente.

— Onde é que eu tô? — falou em voz alta.

Não tinha onde se encostar para descansar. Seus braços e seu peito doíam muito.

— E Alicinha? Onde será que tá Alicinha?

Lembrava que a prima estava quase se afogando da última vez que a tinha visto. Girou a cabeça de um lado para outro, procurando por ela. Mas estava só, completamente só no meio daquele oceano.

— O que é que eu faço? Não posso ficar aqui parado.

Os jatos não paravam de escorrer dos buracos das paredes e a água subia cada vez mais. Resolveu nadar até onde estava a luz, mas não conseguiu dar mais que dez braçadas. Seus ossos pareciam estalar. Não tinha forças. O frio fazia com que tremesse da cabeça aos pés.

Começou a afundar, como tinha visto acontecer com Alicinha. Batia as mãos para voltar à superfície, mas o impulso não era suficiente. Sentia como se alguma coisa o estivesse puxando para baixo.

No entanto, numa das vezes que conseguiu voltar à tona, percebeu que a luz estava maior e se aproximava. Parecia vir de um barco. Aquela visão fez com que despertasse e ganhasse novo ânimo.

Conseguiu endireitar o corpo como pôde e acenou, gritando:

— Aqui! Ei! Aqui!

Lutava com a maré para se manter boiando.

— Aqui!

Até que finalmente sentiu uma rede de pesca cair sobre ele. Foi envolvido pelas malhas, puxado e atirado para dentro da embarcação, enquanto alguém dizia com voz rude:

— Peguei você, peixinho!

Após tossir bastante, quando finalmente conseguiu abrir os olhos, ficou sem fala. Estava num barco pequeno, feito de um material parecido com cortiça ou isopor, pouco maior que uma banheira e redondo. Já os pescadores, eram dois monstrengos.

Um tinha três braços e uma perna. O outro tinha três pernas e um braço. Fora isso, eram muito parecidos. Tinham um bigode grosso, olhos de pupilas muito apartadas, voz rouca e um barrigão pendurado, apesar do corpo franzino.

— Como assim, "Pesquei você, bichinho"? Nós pescamos o peixe! Nós, Dubar! Nós! Tá ouvindo? Ahn, ahn? — falou o que tinha três braços, se levantando furioso com um remo nas mãos e pulando na única perna que tinha.

— Nós? Eu não tô vendo nó nenhum. O que é que

você quer dizer com isso, hein Duber? Tá me xingando, é? Hein, hein? Não sei onde é que você tá vendo nó — respondeu o outro irritado, colocando a mão na cintura e batendo dois dos três pés com impaciência.

— Dó, nada! Eu não tenho dó, Dubar. Dó você tinha que ter de mim. Se não fosse eu, remando feito um desgraçado, a gente não tinha ido a lugar nenhum! Tá ouvindo? A lugar nenhum!

— Alugar o quê? Eu não quero alugar nada! Lá vem você com história, querendo me vender alguma coisa, Duber. Seja o que for, não quero. E vê se pára de falar de nó, que eu não agüento mais. O peixe é meu e eu vou fazer uma bela sopa com ele.

Enquanto falava, o homem lambia os lábios e olhava — ou tentava olhar, já que suas pupilas não se entendiam — para Pepeu. O menino estava no chão do barco entre os dois pescadores, ao lado do mastro sem vela em que estava amarrada uma espécie de lampião. Teve um arrepio e sentiu um nó na garganta. Só agora tinha entendido que o "peixe", motivo da discussão, era ele. E não estava com a mínima vontade de virar sopa.

— Vou dizer pela última vez: não tenho dó! — esbravejou Duber. — Não tenho, não tenho, não tenho! Você é surdo do olho ou não enxerga com o ouvido? Não tá "vendo" o que eu tô dizendo, bestalhão? Ahn, ahn? Eu não tenho dó!

— Não fala em nó de novo, que eu te pego de jeito!

— Defeito, né? Eu vou te mostrar o defeito!

Duber avançou para cima de Dubar, saltitando e lançando seus três braços no ar. O outro também se adiantou, dando pontapés. O barco balançava perigosamente. Pepeu era sacudido de um lado a outro.

— Cadê? Tá se escondendo, covarde?

— Aparece, bandido! Tá com medo?

Os dois estavam agora um ao lado do outro, mas não conseguiam se ver direito. Os golpes passavam direto e se perdiam no vazio.

— Eu te pego, covardão!

— Vem cá, infeliz!

A certa altura, Duber tentou acertar um chute em Dubar, esquecendo que tinha apenas uma perna, e acabou caindo. Dubar riu de se esbaldar, cantando uma musiquinha:

— Ha! Ha! Duber caiu no chão! Duber caiu no chão!

Mas o tombo fez o barco se inclinar muito. E ele mesmo acabou se desequilibrando e levando uma queda. Foi a vez de Duber gargalhar:

— Ih! Ih! Dubar comeu um pão! Dubar comeu um pão!

Dubar se levantou irado e correu para cima do outro. Recomeçaram a luta da mesma maneira: ninguém acertava em ninguém. Com isso, o barco voltou a balançar bastante. Pepeu ficou preocupado e berrou:

— Vocês vão virar o barco!

Os dois pararam de brigar imediatamente e se voltaram para o menino espantadíssimos.

— O peixe falou, Duber! — disse Dubar.

— Não, não! Foi o peixe que falou, Dubar.

Aproximaram-se de Pepeu, curiosos. Dubar perguntou:

— Você falou?

No entanto, antes que o menino pudesse responder, Duber disse impaciente:

— Já disse que foi o peixe. E tira a mão de cima dele que ele é meu!

— Larga!

— Solta!

Cada um puxava Pepeu por um braço. Com o movimento, o barco oscilava bastante. O garoto gritou novamente:

— O barco vai virar!

Os dois pararam a discussão, mais uma vez espantados. Duber falou triunfante:

— Não disse, ahn, ahn? O peixe foi que falou!

Mas já era tarde. O barco se inclinou e jogou todos na água. Inclusive Pepeu, que estava preso na rede e afundou, sem conseguir nadar.

14.
NO FUNDO DA ÁGUA

Pepeu afundava, tentando se desamarrar. Na superfície, Dubar encontrava alguma dificuldade para se manter boiando: batia os pés ligeiro, mas como só tinha um braço, mal conseguia se equilibrar. Já Duber, sofria com o oposto: nadava muito bem com as mãos, enquanto que, batendo uma única perna, não se livrava de alguns caldos.

— Cadê o peixe? Hein, hein? A gente perdeu o peixe! Cadê o peixe, Duber? Agora a gente vai continuar com fome! Que raiva! Já tô há uns trinta dias sem comer, desde que esses malditos Tômedes chegaram aqui.

— E eu, que tô há trinta dias sem comer, desde que esses Tômedes vieram!

— Não agüento mais. A gente tem que achar o peixe de todo jeito!

— Defeito, não!

Os dois se engalfinharam a sua maneira: esmurrando e chutando a água e o ar, um de costas para o outro. Com o esforço, apesar de não conseguirem atingir o adversário, engoliam um bocado de água.

Enquanto brigavam, Pepeu conseguiu se soltar. O problema era que estava cansado, sem fôlego e tinha descido muito. Ainda assim, iniciou a subida. E, num esforço extremo, conseguiu colocar a cabeça para fora da água.

Assim que reapareceu à superfície, Dubar e Duber gritaram:

— O peixe! Pega! Olha o peixe! Atrás dele!

E se puseram a nadar. Pepeu não agüentava dar mais nem meia braçada. Seria facilmente alcançado pela dupla. Isso, claro, se os dois viessem em sua direção. Porém, os pescadores passaram direto por ele e continuaram nadando, aos berros:

— O peixe! Atrás do peixe! Vamos!

E assim se afastaram e desapareceram.

O menino suspirou aliviado. Sua única preocupação no momento era se manter boiando. Notou que a maré havia subido muito. Se continuasse a aumentar, o lugar se encheria até o teto, que agora não estava tão distante de sua cabeça.

Pensando assim, depois de recobrar o fôlego, bateu as pernas num ritmo lento, mas constante, até o barco. Durante muito tempo se deslocou desse jeito e não conseguia chegar ao local desejado. Então sentiu que se formava uma nova corrente e, quase sem força, deixou-se arrastar por ela.

A correnteza era provocada pela subida das águas do mar que, agora, escoavam em sentido inverso pelos buracos das paredes. Pepeu foi levado até uma daquelas passagens. Desceu por um túnel inclinado e caiu dentro de um riacho no interior de uma gruta escura.

Um feixe de luz cinza entrava por uma fenda do teto, permitindo que visse apenas o vulto das coisas. Quando conseguiu ficar em pé, caminhou até a pequena margem de areia molhada, espremida pelas paredes de madeira nodosa, cobertas de cipós e folhas secas.

Ali, sentou-se e meteu a mão no elástico do *short*, procurando o mapa dado por Rari. Não o encontrou e teve vontade de chorar. Mas, como tinha vergonha de derramar lágrimas na frente dos outros, primeiro olhou para um lado e para o outro e se certificou de que estava sozinho.

Pensava em Alicinha. Tinha perdido a prima. E o primo? Onde é que estava Leleco? Como o encontraria agora sem o mapa? Também sentia fome e sede. E, claro, estava muito assustado com tudo o que tinha acontecido.

Que lugar era aquele? Havia passado de uma floresta maravilhosa para uma mata horrível, conhecido um homem de dois narizes, enfrentado um gigante, caído num abismo no meio de um rio, fugido de duas criaturas meio malucas.

E agora? Até onde ia aquela gruta? Estava perdido mais uma vez e cheio de perguntas a fazer. No entanto, seus olhos batiam de sono. Acabou adormecendo.

Estava tão cansado que poderia dormir por três dias seguidos. Mas não conseguiu. Na manhã seguinte, se levantou com um pulo, gritando de dor.

— Aaaai!

E, ao olhar para baixo, viu um homenzinho que batia pouco acima de sua cintura, de orelhas redondas, olhos vivos e rosto afunilado. Estava abraçado à sua perna. E mordia seu pé.

15.
O HOMENZINHO

Pepeu sacudiu a perna:

— Larga! Larga!

Mas o outro não desistia. E implorava, com cara de choro:

— Não, pai. Não, paizinho. Tô com fome, eu. Me dê um pedaço do seu pé. Só um pedaço, pedaço.

Pepeu finalmente conseguiu dar um solavanco mais forte. O homenzinho voou longe, rodopiando no ar, e foi cair dentro do riacho. Então o garoto se sentou no tronco de árvore, pressionando o machucado. Mas logo teve de se levantar, porque o pequeno saiu de dentro d'água correndo e se atirou a seus pés novamente.

— Um pedacinho. Um pedacinho de nada, paizinho. Não vai lhe fazer falta. Garanto. Um ou dois dedos, dedos. Por favor, pai.

Ajoelhado no chão, ele segurava o pé esquerdo de Pepeu e falava rápido, sem parar, fazendo uma espécie de bico: a boca se estreitava e se estendia para frente. Sua voz era fina e saía em pequenos arrancos, como um lamento.

— Só um! Um só! O dedão... Não! Que tal esse aqui, aqui, do lado do dedão? O calcanhar! Conheço muita gente que vive por aí sem calcanhar, pai. Quem é que vai fazer questão de um calcanhar? Por favor, paizinho.

Deu outra mordida, agora no calcanhar de Pepeu.

— Aaaai!

— Uhm, calcanhar gostoso!

Pepeu pulava numa perna e flexionava a outra. Acabou atirando o pequeno de novo no riacho. Em seguida, virou de costas e se afastou.

O outro saiu da água e partiu correndo mais uma vez atrás do menino. Seus passos eram muito curtos, de pés quase colados, e o corpo sacolejava como se dançasse: quando um ombro estava em cima, o outro estava embaixo. Os cotovelos iam rentes à cintura e as mãos, juntas e fechadas, à frente da barriga.

— Volte aqui, paizinho! Nunca mais tento morder seu pé, eu. Nunca! Espere, paizinho! Me deixe aqui, não. É perigoso, perigoso. Socorro!

Corria tão rápido quanto falava. E, assim que alcançou o garoto, se pendurou na sua coxa.

— Me abandone não, pai. Tava brincando, eu. Quero pé nem mão, nem calcanhar nem pescoço, não. Quero nada, nadinha mesmo. A não ser que o senhor queira me dar uma orelha ou...

— Quer parar com isso? — falou Pepeu irritado, pegando o homenzinho e o suspendendo no ar. — Não vou te dar pedaço nenhum do meu corpo!

— Socorro, pai! Me bote no chão, por favor, paizinho! Ai, que altura! Assim me acabo, eu! Me acudam, acudam!

— Eu te boto no chão, se tu "prometer" não se pendurar mais em mim nem falar mais em me morder.

— Prometo por tudo o que o senhor quiser, pai. Prometo, prometo, prometo! Agora me deixe no chão, por favor. Ui, que medo! Socorro!

— Tudo bem — disse Pepeu, fazendo o que o pequeno pedia.

— Obrigado, pai. Obrigado, paizinho. Que chãozinho bom! Ai, que delícia usar o pé! — agradeceu o outro, trêmulo.

Dito isso, os dois retomaram o passo. Pepeu, mancando um pouco. O homenzinho, com seus passos bambos e apressados: uma hora estava à frente do menino, outra hora atrás; ora subia numa pedra, ora caía num buraco; ora se aproximava da parede, ora da beira do riacho. E sempre falando de maneira agitada.

O feixe de luz que descia do teto agora tinha cor laranja e era mais intenso. Podia-se ver melhor.

— Como é teu nome? — perguntou Pepeu ao companheiro a certa altura.

— Tinu, paizinho, Tinu. Meu pai é Tiné e minha mãe

Tiná. Tenho um irmão chamado Tini, outro chamado Tinê e um primo chamado Tinó. Tenho.

— Tu "mora" aqui?

— Não, pai. Moro não. Morava na floresta, eu. Mas desde que começou a Conquista, foi todo mundo expulso de lá.

— Conquista? Que Conquista?

— Os Tômedes tomaram a floresta toda. Tudo que tem nela agora é deles, deles. Arrancam a comida e levam a água. Fizeram tanto, que acabaram destruindo tudo, a floresta e o rio. Só sobrou um pedacinho, só. O resto virou um mato escuro, cheio de espinho. E ainda vivem perseguindo a gente pra levar pro Mercado...

— O Mercado! — vibrou Pepeu. — Então tu "sabe" onde é o Mercado?

— Ui, ui, ui! Que medo, pai! Quero nem passar ali perto, eu. Quero nem ouvir falar! Ai, ai! Que desgraça! Eles levaram Tinó pro Mercado, eles!

— Levaram meu primo pra lá também! Tu "tem" que me ensinar o caminho.

— Quero não, pai! Ui, ui! Chega fiquei todo me tremendo!

— Mas tu não "quer" salvar teu primo? *Arrente* precisa ir lá. O problema é que eu tô morrendo de fome e de sede. Será que não tem nenhuma comida por aqui, nem água que preste pra beber?

— Nem por aqui nem por canto nenhum, pai. Antes os Tômedes tinham o lugar deles e não incomodavam ninguém, incomodavam não. Até que resolveram inventar uma coisa de País e conquistar tudo. Agora é cada um querendo devorar o outro. Comida, que é bom, nada — nadinha. Por isso eu peço, pai: será que o senhor não podia me dar o cotovelo? Só um! O outro o senhor fica, fica. Pra que dois?

— Tu "prometeu" que não ia mais tocar nesse assunto, assunto — falou Pepeu, imitando sem querer o jeito do outro falar. — Além do mais, eu também tô morrendo de fome. Se for assim, vou querer um pedaço de tua orelha.

— Não, pai! Minha orelhinha não! Gosto muito dela, eu. E só tenho duas. Se tivesse três, juro que lhe dava meia. Mas não tenho. É melhor esquecer essa história.

— Ha! ha! Tenha medo não, pequeno. Eu tava brincando. Me diz: como é que tu "chegou" aqui?

— Fugindo dos Tômedes, foi. Acabei caindo no rio e pronto, cheguei.

— Quer dizer que tu não "conhece" esse lugar? E nem sabe como sair daqui?

— Sei não! Tô perdidinho, eu! O senhor também não sabe, sabe não? Ai, ai, ai, que desgraça! Chega tô me tremendo todo!

— Só tem uma coisa que eu não entendo: como é

O País Sem Nome

que deixaram esses Tômedes fazerem o que 'tão fazendo? Por que ninguém reagiu?

— Reagir? Ui, ui! Comem bem, eles. É tudo alto e forte.

Pepeu ia dizer qualquer coisa, mas naquele exato instante eles foram interrompidos por vozes retumbantes que ecoaram na gruta, em coro:

— Quem está aí? Nem mais um passo, estranho!

Tinu saltou e se pendurou nas pernas de Pepeu, gritando:

— Socorro, paizinho! Socorro! Os Tômedes!

16.
"SOCORRO! OS TÔMEDES!"

Pepeu ficou parado. Não porque as vozes tivessem mandado, mas porque não conseguia se mexer com o peso do amigo sobre seu corpo.

— Me larga!

— Não, paizinho! Eles vão pegar a gente, vão!

O menino não enxergava de onde vinham as vozes que, como um trovão, ecoavam por toda a gruta.

— Quem és tu, estranho? — diziam em coro. — Tu que ultrapassas a linha demarcatória que demarca e limita nossos limites?

Pepeu jamais tinha ouvido um estrondo como aquele.

— Quem tá aí? — perguntou.

— Quem está aqui, perguntas? — respondeu o coro. — Acaso não percebes a nossa presença aqui presente? Quem te deu o direito de fazer perguntas indagativas? Dize quem és de uma vez, ó estranho!

— Ui, ui, ui! Mas que é que esses homens tão dizendo aí, paizinho? — perguntou Tinu, tão trêmulo que Pepeu estava a ponto de perder o equilíbrio. — Não tô en-

O País Sem Nome 99

tendendo nada, eu. Os Tômedes não falam assim. Que língua mais esquisita! Vamo' embora, pai!

— Não balança assim que eu caio! — falou o menino. — Pelo que eu tô entendendo eles querem saber quem eu sou.

— Pois então diga que se esqueceu, pai. Deixa assim: eles sem conhecer a gente, a gente sem conhecer "eles".

— 'Peraí, cuidado! Eu tô caindo! — falou o menino, bambo, e se apresentou às vozes: — Meu nome é Pepeu. Mas onde é que vocês 'tão?

— Vocestão? — voltou a falar o coro. — Oh, mas que belo nome tens, estranho: Vocestão! Oh, sim. Belo como a beleza mais bonita da linda boniteza. Dize, amigo Vocestão, que te traz até nós?

Pepeu ia começar a responder quando, desequilibrado por Tinu, tombou, levando o pequeno junto. Caíram sobre uma cabeça que estava meio enterrada no chão.

— Ai, que dor dolorida dolorosamente dolente! — gritou o coro.

Olhando mais adiante, pelas duas margens do riacho, notou que havia mais cinco delas. Estava resolvido o mistério. As vozes do coro vinham daquelas cabeças cinzentas, peladas, de olhos brancos sem pupila, parecidas com estátuas.

— Plantaram um monte de cabeça no chão, pai! Cuidado com a safra de mordida, paizinho. Ai, sofrimento! Ui, ui, ui, que medo! — disse Tinu, se escondendo atrás de uma folha.

— Quem são vocês? — perguntou Pepeu se levantando.

— Como, quem somos nós? — começou a responder o coro. — Meu caro Vocestão, somos os grandes, grandiosos, colossais...

Mas não chegou a concluir a fala. No meio da frase, as cabeças gritaram todas juntas: "Ai, que fome!" e tombaram de lado, desmaiadas.

— Que foi que houve? — espantou-se o menino.

— Sei não, pai. Só sei que essa é uma boa hora pra gente fugir.

— Mas fugir pra onde? A gente precisa saber como é que sai daqui!

Pepeu tentou acordar as cabeças, sem sucesso. Após alguns minutos, elas reabriram os olhos, todas de uma vez, e retomaram o discurso de onde haviam parado, como se nada tivesse acontecido:

— ... imensos, enormes, gigantescos Redundantes. A seu dispor, caro amigo.

Os Redundantes contaram que viviam ali na gruta, às margens do riacho, desde que os Tômedes os tinham expulsado da floresta. Claro, Pepeu não conseguia entender tudo o que diziam. Até porque a cada instante eles

interrompiam o que vinham falando para gritar: "Ai, que fome!" e cair de lado como antes.

Mas, do pouco que conseguiu acompanhar, o menino concluiu que haviam chegado tempos atrás à gruta, onde permaneciam, imóveis, se alimentando da água do riacho. De tanto ficarem ali, sem se mexer, a maré acabou por enterrar seus corpos, deixando apenas as cabeças de fora.

— Vocês bebem essa água suja, de gosto horrível? — estranhou Pepeu.

— Não diríamos horrível. Horrível, horrível, não. Ela está mais para péssima, na verdade. Mas é de uma "pessimidade" muito saborosa. Oh, sim! Chega a ser deliciosa em toda a sua "pessimura".

— E não se alimentam de mais nada?

— Ora! Mas claro que sim, meu jovem. De ar. Desse maravilhoso ar da gruta.

Pepeu fez uma careta e, em seguida, disse:

— Vocês, por acaso, sabem como sair daqui?

— Talvez saibamos, caro amigo. E diríamos mais: pode ser. Mas, oh!, o que é o saber?

— Sabem ou não?

— Saber, saber? Ou saber, conhecer?

— Saber. Só saber.

— Mas saber, compreender? Ou saber, entender?

— Saber sair daqui! Só isso. Sabem?

— Ah, saber "saitivo"! Devias ter dito antes. Não, não sabemos. Mas dizem que há uma saída pela cachoeira lá do mangue. Ai, que fome!

E os Redundantes desmaiaram outra vez.

— Vamo' embora, paizinho! — disse Tinu, que continuava escondido atrás da folha, tremendo.

Pepeu estava cansado, com sede e com fome. Tinha esperança de que os Redundantes pudessem oferecer alguma comida, mas, pelo visto, naquela terra estranha só os Tômedes comiam.

Pensou em Leleco e se lembrou de Alicinha. Teve vontade de chorar, mas como Tinu estava perto, conseguiu manter o controle.

— Que é isso, pai? — perguntou o homenzinho curioso, vendo seus olhos cheios de lágrimas.

— Nada! — disse o garoto disfarçando.

— E tá chorando, é?

— Eu sou homem! Hum! Vamo' indo!

Retomaram o passo. A certa altura do caminho, no entanto, Pepeu não agüentou mais acompanhar o amigo. Sentou-se, enquanto Tinu seguiu adiante no seu passo bambo e ligeiro, muito valente, dizendo:

— Se preocupe, não: se encontrar a saída, eu venho chamar o senhor, venho.

Porém, cerca de dez minutos depois, Pepeu ouviu um grito:

— Socorro, pai! Socorro, paizinho! Me salve! Ai, que desgraça!

Correu como pôde e encontrou o amigo alguns metros adiante, escondido atrás de uma pedra. Ali, a gruta se alargava e chegava ao fim. A água do riacho formava um pequeno lago que banhava três túneis muito escuros.

— Que foi, Tinu? — perguntou o menino.

— Ali, pai! Ali! Ali! — sussurrou o outro, apontando para o túnel da esquerda.

Pepeu entrou no laguinho e se aproximou da entrada indicada. Então ouviu um uivo terrível e prolongado:

— Uh-uh-ah-uh-uh!

Aproximou-se com cuidado e olhou para dentro. Era impossível enxergar o que quer que fosse.

— Quem tá aí? — gritou, encostando-se na parede da entrada para se proteger e sentindo o coração disparar.

O uivo voltou ainda mais forte:

— Uh-uh-ah-uh-uh!

Repetiu a pergunta. E novamente escutou o som ameaçador.

— Quem tá aí? — insistiu o menino.

E foi então que escutou alguém responder, lá de dentro:

— Pepeu? Pepeu, é você?

Engoliu seco, sem conseguir falar. A voz disse outra vez:

— É você que está aí, Pepeu?

Passos chapinharam na água. Logo depois uma pessoa saía do túnel. Era Alicinha.

17.
REENCONTRO

Pepeu correu até a menina. Os dois se abraçaram e caíram sentados no lago, sem forças. Durante muito tempo ficaram calados, um nos braços do outro. Dessa vez o garoto não conseguiu evitar que lágrimas de alegria escorressem pelo seu rosto.

— Que foi que houve? Onde é que você tava, Alicinha? — disse ele, por fim.

A prima contou que, na noite anterior, no rio, quando estava quase desmaiando, havia caído num buraco e chegado àquele lugar misterioso. Andou durante horas por túneis e alagados sem encontrar ajuda nem comida. Dormiu sobre uma árvore. E até então, por mais que tivesse caminhado e procurado, não tinha achado uma saída.

— E, no final das contas, entrei nesse túnel aqui. Quando ouvi alguém se aproximando, imitei um bicho, para meter medo. Isso aqui é um labirinto, Pepeu! Um labirinto debaixo da terra e cheio d'água. Eu estou com fome, sede, frio e cansaço.

O País Sem Nome

Realmente, Pepeu estava impressionado com o aspecto da prima. Alicinha tinha olheiras enormes. Seu rosto estava muito pálido e sua roupa completamente ensopada.

— A gente precisa encontrar a saída, rápido — disse o menino. — Uns tais de Redundantes disseram que *arrente* deve procurar uma cachoeira que fica num mangue.

— Num mangue? — os olhos de Alicinha brilharam. — Mas eu acabei de vir de um mangue, Pepeu!

— E viu a cachoeira?

— Ouvi. Ouvi uma queda d'água perto.

— Então vamo' até ela!

— Primeiro a gente precisa achar comida...

— Mas não tem comida aqui, Alicinha. Não tem comida em canto nenhum, tu *merma* "viu". E tudo por culpa dos Tômedes.

— Tômedes? Aqueles que capturaram Leleco?

— Eles! Mas vamo' logo. No caminho eu explico o que tá acontecendo.

— Daqui a pouco. Daqui a pouco... Eu tenho... que... descansar...

Ela encostou a cabeça no colo do primo e fechou os olhos. Segundos depois, cochilava, de boca aberta.

Pepeu estava preocupado. Alicinha precisava se alimentar o quanto antes. Talvez, voltando ao rio, eles conseguissem alguma comida. Mas como sair dali? Pensava assim, quando ouviu Tinu gritar:

— Socorro, paizinho! Ai, ui! Que desgraça!

Todo aquele tempo o pequeno estivera escondido atrás da pedra. Apesar de ter visto Alicinha, não tinha se decidido ainda se ela representava perigo ou não. Mas agora, vinha numa carreira desabalada, sacudindo os ombros de um lado a outro:

— Alguém vem vindo, alguém! Me ajude, paizinho!

Abraçou-se ao peito de Pepeu que, com o peso dos dois amigos sobre ele, não conseguia se mexer.

— Deixa eu me levantar!

— Me salva, paizinho! Me salva!

— Me larga!

— Ui, ui, ui, que sofrimento!

Alicinha continuava dormindo. Imobilizado, Pepeu viu quando dois homens se aproximaram, correndo e gritando:

— O peixe! Pega! Olha o peixe! Atrás dele!

Eram Dubar e Duber. Os dois vinham a toda velocidade na direção de Pepeu, Alicinha e Tinu. Porém, mais uma vez passaram direto, entraram no túnel do meio e desapareceram, sempre berrando:

— Não deixa o peixe fugir! Atrás do peixe! Vamos!

Pepeu suspirou aliviado. Mas aquela tentativa de se levantar tinha acabado com suas últimas forças. Sua cabeça estava vazia, sua boca seca, seu corpo dolorido. Pouco a pouco, foi relaxando os braços e se deixando deitar.

Tinu tentava desesperadamente escorar o corpo do amigo:

— Deita não, pai! Vai se afogar, vai!

Pepeu sentia sono e se reclinava, chegando cada vez mais próximo da água. Com o movimento, também Alicinha afundava. Tinu não conseguia segurar os dois.

— Olha a moça, paizinho! Acorda! Assim se afogam, vocês!

Pressionado pelas costas de Pepeu, Tinu agora pendia para trás. Até que se desequilibrou e foi para o fundo da lagoinha que, apesar de pequena, o cobriu. Ficou preso ali, sob o menino. Esperneava de toda maneira, mas não conseguia sair.

Quando afinal se desprendeu, tossindo muito e usando toda a força de seu corpo franzino, puxou primeiro Pepeu depois Alicinha para fora do lago e deitou fatigado ao lado deles em solo seco.

Os três permaneceram assim por um longo tempo. Até que algo extraordinário aconteceu.

Lembram daquelas duas "pedras" pretas que Rari tinha dado para os primos? Bom, quando arrastou Pepeu para salvar sua vida, Tinu acabou rasgando o bolso do casaco do garoto.

Agora, as rodelas estavam a poucos centímetros do rosto de Alicinha. Não sei se sentindo um cheiro diferente ou o que quer que seja, mas o caso é que a menina despertou e, ao abrir os olhos, deparou com elas.

Num movimento instintivo, movida pela fome, apanhou uma peça e lhe deu uma pequena mordida. Como resultado, levantou-se forte e bem disposta, sem cansaço, fome ou sede. Era como se tivesse tomado uma pílula mágica.

Em seguida, ao ver Tinu arfando ao lado do primo, a menina tomou um susto:

— O que é isso!

O pequeno tomou outro:

— Socorro! Faça mal pra mim não, mãe! Por favor, não me morda, morda não, mãezinha!

Entortando a boca e sem prestar atenção ao que o outro dizia, Alicinha tirou um pedacinho da "pílula" e o colocou na boca de Pepeu, que despertou com a mesma disposição dela, perguntando maravilhado:

— Que foi que houve?

— Quase um milagre! — respondeu a menina sorrindo. — Venha! Vamos embora.

Dito isso, os três se puseram a caminho. Atravessaram o túnel da esquerda, conforme indicava Alicinha, acharam o mangue e seguiram em busca da cachoeira.

18.
A CACHOEIRA

Os três atravessavam as águas geladas e a vegetação fechada, pisando no fundo lamacento do mangue. Pepeu ia à frente, com Tinu nos ombros, porque o pequeno não alcançava o chão.

Depois de ver os dois primos comerem da peça dada por Rari, o homenzinho tinha pedido um pedaço também:

— Por favor, moça, mocinha! Só um pedaço, um pedacinho, só. Não vou comer muito, eu.

A menina, que depois de se alimentar e ficar forte, tinha voltado ao ânimo de sempre, não concordava:

— Não, não e não. A gente tem pouco, não dá para todo mundo. E, além do mais, você é pequenininho. Nem precisa comer.

— Preciso eu, sim, mãe. Dá um pouco pra mim, mãezinha. Por favor! Só um pouco, é o que lhe peço. Não vai custar nada, nada.

— Custa. Custa porque depois a gente vai ficar sem. Olha aí quanta folha pra você comer. Por que não pega uma?

— Presta não, essas folhas não, mãe. Isso tá podre, podre. Por favor! Ui, ui!

Enquanto falava, Tinu sacolejava no seu jeito agitado, jogando Pepeu de um lado a outro. O menino, agora sem fome ou cansaço, andava num passo apressado. Já tinha contado a Alicinha tudo quanto sabia a respeito dos Tômedes e da fome que assolava o País. E estava ansioso para sair dali e reencontrar Leleco.

Uma coisa apenas o intrigava: por que Rari tinha aquelas peças? Segundo Tinu, ele era um mago conhecido na floresta. "Mago nada. Ele é muito é resmungão, isso sim! E chatíssimo, ainda por cima!", tinha dito Alicinha.

Pepeu foi despertado desses pensamentos pela discussão dos outros dois. Resolveu interceder pelo amigo:

— Dá um pedaço pra ele, Alicinha! Tu não "viu" que um pedacinho de nada dá pra matar a fome e a sede de um batalhão?

— É, é! Um pedacinho só, mãezinha! Um pedacinho de nada! — pedia Tinu.

— E eu tenho lá idade pra ser mãe de alguém, ô nanico? Mãe! Essa é boa.

— Se não gosta que eu chame de mãe, eu posso chamar de filha, minha filha.

Pepeu ia gritar: "Não!", antes que Tinu dissesse aquelas palavras. Mas agora já era tarde. Alicinha ficou furiosa.

— É o quê, hein?!

— Por favor, minha filha! Só um pou...

— Não me chama de "minha filha"! Não me chama de "minha filha", hein!

— Tudo bem, minha neta. Mas me dê um pedacinho, netinha. Só um peda...

— Eu vou pegar esse nanico!

— Que foi que eu fiz, eu? Que foi que eu fiz, pai? Socorro, paizinho! Ai, que desgraça!

— Vem cá, meio-quilo!

Ela correu e se apoiou nas costas de Pepeu, tentando pegar o pequeno. Tinu ficou em pé nos ombros do menino, que pedia:

— Pára, Alicinha! Pára! Eu vou cair!

— É, é! Pára, mãezinha! Pára, mãe! Vou cair, eu!

— Eu vou te mostrar a mãe!

Não deu outra: Pepeu se desequilibrou e os três mergulharam na água. Alicinha se levantou ainda mais possessa. Tinu correu para trás das pernas de Pepeu. O garoto segurava a prima pelos braços:

— Deixa disso, Alicinha!

— Vou deixar! Vou deixar o pouca-sombra sem orelha, isso sim!

— Por favor! Deixe não, filha. Gosto tanto da minha orelhinha! — pedia Tinu.

— Como é, nanico?!

— Que foi que eu fiz, eu? Ui, ai!

De repente, no meio da confusão, o nanico, quer dizer, o pequeno gritou, apontando para o alto:

— A cachoeira!

— Cachoeira, nada! — respondeu Alicinha.

— Olha a cachoeira lá, a cachoeira!

— Está pensando que me engana, meio-quilo?

— É verdade, Alicinha! — confirmou Pepeu.

A menina olhou para onde o primo apontava e viu a cachoeira por entre algumas árvores.

Ali onde estavam, as paredes e o teto do subterrâneo eram feitos de um tecido amarelo, esponjoso como o corpo das algas. E a água escorria por um buraco nele, no alto, por onde também entrava um pouco de luz azul.

— Vamo', rápido! — chamou o garoto.

Os três se precipitaram pelo mangue. Tinu disse, mais queixoso que o habitual:

— Bem que merecia um pedacinho de comida! Achei a cachoeira, foi.

— Alicinha, dá um pedaço pra ele. Que mania!

Contrariada, a menina tirou um pedaço mínimo da rodela, que passou ao pequeno com uma careta. Tinu provou a comida e seus olhos brilharam.

— Ui, que maravilha! Ai, que alegria! Tinha já esquecido o gosto de comida, eu!

O pequeno sapateava nos ombros de Pepeu e soltava gritos de felicidade.

— Quanto escândalo, meu Deus! Até parece que isso daí tem gosto — reclamou Alicinha de braços cruzados.

— Quero mais! Quero mais, mãe — disse Tinu.

— Ha, ha, ha. Tem até graça!

— Só mais um pedacinho, mãe.

— Mãe, uma ova!

Eles já estavam bem perto da cachoeira. De repente, Pepeu fez um movimento brusco, puxando os outros e se escondendo atrás de umas folhas. Sussurrou:

— Silêncio. Tem alguém ali.

Os dois olharam e viram um sujeito magro e espigado, de pernas muito maiores que o resto do corpo. Andava de lá para cá, sobre umas rochas verdes, ao pé da cachoeira. Usava uma espécie de capacete que só cobria as laterais da cabeça, e tinha um pedaço de madeira na mão. Parecia um vigia, um guarda.

Pepeu suspirou e perguntou:

— E agora, como é que a gente vai passar por ele?

19.
O GUARDA DA CACHOEIRA

Foi o próprio Pepeu quem tomou a decisão:

— *Arrente* simplesmente vai lá e fala com ele. Se ele quiser encrenca, já sabe: dou uma e outra, e mais uma e outra. Faço assim, assim, assim...

— Deixa disso, Pepeu. Eu vou bolar um plano aqui e...

— Vamo'!

O menino puxou a prima pela mão e a arrastou com ele. Tinu se desesperou:

— 'Pera! 'Pera, pai! Esse daí é perigoso, ele! Faz isso, não!

— Pela primeira vez na vida, o nanico está certo, Pepeu.

— Que nada! Deixa que eu resolvo.

O garoto foi na frente. Tinu se pendurou nas pernas de Alicinha, tremendo dos pés à cabeça. Ela reclamava:

— Me solta, meio-quilo!

— Me deixe só não, mãe. Gosto muito da senhora!

— Tenha a santa paciência. Enfrentar esses monstros e perigos não é nada. Agora, ter que aturar o nanico é que é fogo!

— Fogo? Onde é que tá o fogo, fogo? Ui, que medo!

E assim eles passaram para cima das pedras e caminharam na direção do guarda. Estavam impressionados, porque a água da cachoeira, em vez de descer, subia: vinha do mangue e escalava a parede até o teto.

O vigia marchava de um lado a outro como se guardasse um portão. Muito rígido, usando umas pantufas de cano alto, ele suspendia os calcanhares rapidamente, chegando a encostá-los nas costas. Ou então dava uns chutes no ar e sua perna longa, extremamente elástica, subia até seu calçado triscar o queixo.

De outras vezes, permanecia no mesmo lugar, como quem samba, enquanto os ombros se encolhiam e distendiam. Ou ainda girava a cabeça e levantava o pedaço de madeira como se fosse uma espada.

Às vezes, com as pernas bastante retas, se inclinava tanto para trás que se tinha a impressão de que ia se partir ao meio.

O certo é que parecia feito de borracha. E, eletrizado, não parava um minuto sequer de se mexer e se mover, estabanadamente, mas muito sério e compenetrado, como se sua atividade fosse a coisa mais importante do mundo.

Quando os meninos se aproximaram dele, estendeu a mão acima da cabeça, fechou os olhos, bateu os calcanhares e soltou um berro:

— Alto lá! *Quedê* os documentos oficiais de vossas senhorias?

— Documento? Mas a gente nem sabia que precisava de documento! — disse Pepeu.

— Não tem documento, ahn? *Apois*, ninguém passa! Ninguém passa!

O guarda voltou a marchar a seu jeito, como se nada tivesse acontecido.

— E por que a gente não pode passar sem esse tal documento? — perguntou Alicinha, cruzando os braços.

— *Pro que* a lei é a lei, senhorita. A lei é a lei. "Ele", "e", "ípsilon": lei. E eu sou a *otoridade* dessas localidades. Compreendido? *O-to-ri-da-de*. Com "u" maiúsculo, ainda por cima, fique sabendo. Aqui, comigo, sem documento, ninguém passa. Ninguém passa! Ninguém passa!

Ele saltitou de um lado a outro, levantando os braços. Alicinha insistiu:

— Meu senhor, nosso primo está precisando de ajuda. Nós temos que sair desse lugar o mais depressa possível.

— É proibido *sair pra fora* ou *entrar pra dentro* sem documento, senhorita. É a lei, já disse e repito: "ele", "agá", "e", "i". Ninguém passa! Ninguém passa!

— E quem foi que fez essa lei, hein? — perguntou Pepeu.

— Quanta *inguinorança*! Fique o senhor sabendo,

senhorito, que as leis não são feitas. Elas nascem, compreende? A gente planta e elas nascem. É isso. E tenho dito. Sem documento, ninguém passa. Ninguém passa!

Mais uma vez o vigia recomeçou a marchar, girando e lançando os pernões em todas as direções.

— Se minha professora de Português ouvisse esse homem falar, morreria do coração — disse Alicinha.

— Eu sei muito bem quem *plantou* essa lei — indignou-se Pepeu. — Foram os Tômedes! Com certeza isso é ordem deles. Chega! Vou passar de todo jeito.

— Faça isso não, paizinho! — pediu Tinu, que permanecia escondido atrás de Alicinha.

— Espera. Eu vou falar com o pau-de-sebo. Ei, psiu! Vem cá — chamou Alicinha.

O guarda rodou como um pião e se voltou para a menina. Depois se curvou para fazer uma saudação:

— Pois não?

— Meu querido, é o seguinte: o senhor não ouviu dizer que o país está de pernas para o ar, não? Os Tômedes tomaram conta de tudo, não sobrou nada para ninguém. Agora, que é que o senhor ganha não deixando a gente passar?

— Leis *serem* leis, senhorita. "Ele", "e", "i", "xis": leis. Eu tenho que manter a ordem. *Os* pessoal tem que respeitar a lei. Sem documento, ninguém passa. Compreendido? Ninguém passa! Ninguém passa!

— Grande ordem! Está todo mundo com fome! O senhor não?

— Eu? Mas *craro*! Por que a senhorita acha que eu tô pulando tanto assim? É pra disfarçar a fome, *madama*!

O homem retomou os pulos e evoluções. Pepeu decidiu:

— É agora ou nunca! — disse, correndo na direção da cachoeira e puxando os outros com ele.

O guarda estava de costas, porém se virou rapidamente e impediu a passagem com a perna estendida como um compasso. O garoto voltou a seu lugar mas não desistiu: a todo momento tentava de novo. E era sempre parado pela agilidade do vigia:

— Ninguém passa! Ninguém passa!

— Que porqueira! — falou o menino.

— Calma, Pepeu — pediu Alicinha. — É tudo uma questão de inteligência, coisa que esse daí não tem sobrando. Veja só.

Alicinha chamou o guarda mais uma vez. Quando ele se aproximou, ela lhe mostrou a peça dada por Rari, dizendo da maneira mais simpática:

— Sabia que isso daqui mata a fome, autoridade?

Ele arregalou os olhos. Ela completou:

— Quer experimentar? É só deixar a gente passar.

— Mas, mas, mas... E a ordem? E a lei?

— Ah, seu guarda, a gente *planta* outra...

— Bom, quer dizer, bem... Eu...

— Vai ou não?

Alicinha tirou um pedacinho da rodela, colocou na palma da mão e ofereceu a ele, que estendeu os dedos ávidos. Então ela soprou o fragmento, que voou no ar e foi cair dentro d'água. Desesperado, o vigia gritou:

— Não!

E pulou atrás dele.

Os três correram para a cachoeira e, assim que tocaram na água, sentiram seu corpo ser puxado por ela.

— Socorro, pai! — gritava Tinu. — Ui, ai! Me salva, paizinho!

— Você é um gênio, Alicinha — disse Pepeu, beijando a bochecha da menina.

— Eu sei — respondeu ela.

Dessa maneira, subiram até o buraco por onde a água saía e, passando por ele, reencontraram a luz dos sóis coloridos.

Voltaram à superfície e ao rio, onde tinham caído graças a um espirro de Babal. Ali, nadaram até as margens e pisaram em terra firme.

— Estamos salvos — comemorou Alicinha.

Pepeu concordou, dizendo:

— É isso aí. Agora, vamo' pra Capital, conhecer esses Tômedes.

E Tinu se encolheu, trêmulo de medo.

20.
RUMO A CAPITAL

Eles se estiraram sobre a areia da margem para pegar um pouco de calor e enxugar as roupas. De um lado tinham o rio, que àquela altura possuía uma coloração amarronzada e era bem mais raso e estreito. Do outro, a floresta escura e suas árvores e plantas espinhentas e sombrias, agora mais esparsas e baixas.

— E então, Tinu? Onde fica Capital? — perguntou Pepeu quando não sentia mais frio, levantando-se e limpando as mãos.

— Serve não, ir pra esse lugar não, pai. Os Tômedes vão fritar a gente vivo, vão. A gente podia era ficar aqui mesmo.

— E o teu primo?

— Eu acho que ele tá até bem por lá, ele... Se divertindo...

— Diz logo, nanico, que a gente não tem o dia todo — irritou-se Alicinha.

Tinu fechou os olhos, virou a cabeça para um lado e apontou para o outro:

O País Sem Nome

— É ali, pai! Ui!

Os primos olharam para onde ele indicava e viram, muito distante, uma cadeia de montanhas.

— Ali, naquelas montanhas? — perguntou Pepeu.

— Depois, pai. No deserto, paizinho. Mas primeiro a gente vai ter que passar pelo Monstro de Sirccie. Ai, que dor!

— Monstro?

— Monstro, senhor sim, pai. Monstro e brabo. Vamo' desistir, paizinho. Vamo' pra esse lugar não!

Pepeu ajudou Alicinha a ficar em pé e arrastou Tinu pelos braços, porque o homenzinho tinha afundado os pés na areia para evitar sair do canto.

Os três se puseram em marcha, caminhando sobre a margem, que formava uma estrada natural. Eram acompanhados apenas pelos sóis fortes e pelo mau cheiro do rio, em meio à paisagem desolada.

Andaram durante duas horas, sem que chegassem perto das montanhas que deveriam atravessar. Estavam cansados e o calor era insuportável. Pararam novamente, para comer um pedaço da "pedra" e recompor as forças.

— Isso fica muito longe! Você disse o caminho certo, nanico? — perguntou Alicinha, sentando na areia.

— Disse, senhora, sim. É longe demais mesmo, isso. Acho até melhor a gente voltar. Vale a pena não.

Durante a caminhada, Tinu tinha esquecido um pouco o objetivo do grupo e recobrara o ânimo, voltando a falar com seu jeito agitado. Subia e descia barrancos com rapidez, em seu passo bambo, balançando os ombros. Mas agora que a menina voltava a falar em Capital, tremia dos pés à cabeça:

— Ai, que medo! Ui, que sofrimento! Ui, que dor!

— Andando nesse ritmo, a gente não vai conseguir chegar na cidade hoje — disse Pepeu, sem prestar atenção à pantomima do outro.

— E quando ficar de noite? É perigoso, Pepeu. Onde é que nós vamos dormir? — perguntou Alicinha. — Vou logo avisando: não durmo no chão. E muito menos com esse meio-quilo aí. Do jeito que ele é esfomeado, é capaz de querer morder meu pé também.

— Mordo não, mãe. Mordo não, eu. Agora já tô bem alimentado. A não ser que a senhora queira me dar outro pedacinho dessa comidinha aí. Aí aceito, mãe, viu? Querendo, é só me dar.

— Se pelo menos a gente tivesse um... — disse Pepeu, que começou a falar sentado e terminou a frase dando um pulo e apontando para o rio: — ... barco!

Tinu tomou um susto e correu para se esconder entre as árvores, gritando:

— Socorro! Socorro!

Alicinha se levantou e olhou: havia um barco de madeira do tamanho de um iate ancorado na margem oposta. Como o de Dubar e Duber, ele era redondo. Aparentemente, não tinha ninguém dentro.

— Vamo' pegar esse barco! De barco *arrente* chega mais rápido!

Meio desconfiada, Alicinha seguiu o primo. Os dois atravessaram o rio a nado, seguidos por Tinu que, quando viu que ia ficar sozinho, disparou atrás deles aos berros:

— Volta aqui, pai! Não me deixa só, paizinho! Socorro, mãe!

A embarcação tinha uma escadinha de corda. Pepeu subiu por ela e chegou ao convés. Na popa havia uma cabina com teto de lona, sob o qual ficava um trono dourado. Na proa, uma espécie de timão. Entre uma e outra, mastros, velas (também redondas e de madeira) e uma escada que levava ao porão, onde encontraram um barril de água e restos de comida estragada. Não tinha realmente ninguém a bordo.

— Perfeito! — disse Pepeu. — Deve ser que nem navio de pirata. E de navio de pirata eu entendo. Não pode ser difícil pilotar essa coisa.

— Claro. É só colocar um tapa-olho e tudo se resolve — falou Alicinha, entortando a boca.

Pepeu ia dizer qualquer coisa, mas foi interrompido por Tinu, que acabava de subir no barco, gritando afobado:

— Ui, pai! Ai, mãe!

— Pronto. Chegou quem não faltava — disse Alicinha, tapando os ouvidos.

— Que foi que houve, Tinu? — falou Pepeu.

O pequeno se agarrou nas pernas do menino e anunciou:

— O dono do barco tá aí, pai! É terrível, ele! E disse que vai pegar a gente, vai! Ai, que medo!

Em seguida ouviram uma voz do lado de fora gritar, furiosa, para eles:

— Preparem-se! Vocês vão sofrer as conseqüências!

21.
O DONO DO BARCO

Pepeu olhou para fora e viu dois homens se aproximarem, vindos de entre as árvores. Um, pálido e carcomido, puxava de uma perna e andava apoiado numa bengala. Usava um chapéu quadrado na cabeça parecido com uma cartola, casaco de manga comprida semelhante a um fraque, tamancos e luvas. Mas sujos, cheios de nódoas e furos.

Já o outro, era baixo e caminhava de costas, arrastando os pés no chão como se dançasse *break*. Seu corpo fazia uma curva na altura do estômago, de modo que seu tronco parecia um "s". Estava carregando toras de madeira.

— Saiam já daí, incrédulos, infiéis, ou sofrerão as conseqüências! Chamo-me Lorde Cacatu e não é por acaso — disse o primeiro, apontando Pepeu com a bengala. — Servo! Ponha-me no convés, servo!

— Claro, meu bom amo — disse o segundo. Em seguida, deixou a lenha no chão ao lado do barco, fez uma continência e ficou parado.

— Servo! Você está surdo, servo? Alce-me até o barco, vamos!

— Agora, meu bom amo.

Fez outra continência, colocou o patrão nos ombros e ficou novamente sem ação.

— Servo boçal! Coloque-me no barco, infeliz!

— Sim, meu bom amo.

O criado então, depois de nova continência, jogou o outro, que caiu de costas no convés como um pacote.

— Ainda te arranco a cabeça, miserável, desmemoriado, bárbaro! Vocês! — disse o lorde, levantando-se e se referindo a Pepeu, Alicinha e Tinu. — Parem de sujar o convés do meu barco com seus pés de plebeus, imediatamente, ou sofrerão as conseqüências. Chamo-me Lorde Cacatu e não é por acaso. Saiam, desapareçam, sumam! Se tem uma coisa de que eu não gosto é de gentalha.

O lorde retirou as luvas com gestos nobres e as guardou no bolso da calça, elegantemente apoiado em sua bengala que, na verdade, era um galho de árvore. Alteava a cabeça como um príncipe. Lançava olhares superiores. Parecia indignado de ter que lidar com gente de condição inferior à sua.

— Me desculpe, senhor, mas a gente pensava que o barco não tinha dono — falou Pepeu.

— Não tinha dono? Pois saiba o senhor, membro da

ralé desprezível: chamo-me Lorde Cacatu e, não por acaso, este barco pertence-me. Quem não respeitar minha propriedade vai sofrer as conseqüências. Ó servo! Vem cá, servo, e tira essa patuléia do barco. Agora!

O servidor subiu a escada e entrou no barco de costas. Em seguida se virou e ficou parado, com o olhar perdido.

— Ah, meu Deus! Que fiz eu para merecer isto? Ó servo! Acorda, desgraçado!

— Como, meu bom amo?

— Tira essas criaturas infectas daqui! Raspa com elas. Chispa, vai.

— Sem dúvida, meu bom amo.

Sempre de costas, o criado arrastou os pés na direção dos meninos. Mas, a meio do caminho, estacou mais uma vez e ficou observando o horizonte.

— Céus! Por que tanta injustiça? — suspirou o lorde, revirando os olhos. — Terei eu tripudiado de alguma divindade? Assim nunca chegarei ao Mercado de Capital!

Escutando aquilo, Pepeu teve um sobressalto e cochichou no ouvido de Alicinha:

— Tu "ouviu"? Ele tá indo pro Mercado! A gente precisa pegar uma carona.

— É, mas a *cacatua* aí não vai querer dar carona nenhuma. A não ser que eu use a palavra mágica.

— Qual?

— Comida, Pepeu. Comida. Que ver? Ô seu lorde! Será que o senhor poderia nos dar uma carona?

— Claro que não — disse o outro prontamente, erguendo o rosto com desdém. — Servo! Ó servo inútil! Atira esse pessoal fora de uma vez!

— A gente tem comida.

— Co-como?

Ele estremeceu e se aproximou. Alicinha prosseguiu:

— Se o senhor nos levar até Capital, nós podemos até lhe dar um pouquinho...

— Será que ouvi direito, minha querida nobre? Onde é que está a comida?

— Aqui — disse a menina, mostrando uma das "pedras".

Ele esticou o braço para pegar a comida. A menina recolheu a mão.

— Por favor, minha companheira fidalga, dê-me um pouco deste alimento. Você é tão bela e gentil! Sei que não iria negar-me um bocado.

— Então dá a carona?

— Mas claro, claro. Só isto? Por que não falou antes, minha princesa? Tudo o que você quiser. Ó servo, traz a lenha, alça as velas e põe essa joça em movimento! Vamos continuar a viagem na companhia destas criaturas honestas, joviais e agradáveis.

O homem saiu a esbravejar com o empregado, mandando que ele fizesse os preparativos para zarpar. Alicinha piscou o olho para Pepeu:

— Como isso mudou!

— Um doce de pessoa — sorriu o menino. E completou: — Agora, com esse barco grande, *arrente* vai chegar rapidão.

— Por falar em "grande", cadê o nanico, hein?

Olharam em torno e tiveram alguma dificuldade para localizar Tinu, escondido atrás do trono dourado, tremendo de medo.

— Só assim ele se calava! — concluiu Alicinha.

Após todos os preparativos, demoras do criado e impaciências do lorde, eles partiram. A viagem transcorreu sem complicações. O servidor, que se chamava Caluda, pilotava a embarcação (de costas, claro. E era de costas que o barco seguia também).

Alicinha e Pepeu ajustavam as velas. E o lorde se esparramava com toda a realeza em seu trono, sem fazer nada. Ficava o tempo todo sentado, pedindo milhões de coisas para Tinu: água, comida, massagem, música.

Cerca de três horas depois de zarpar, eles chegaram ao ponto mencionado pelo pequeno: a região das montanhas. Ali o rio ficava progressivamente lamacento, até virar terra molhada e, por fim, completamente seca. Também as árvores e as margens desapareciam. Tudo virava um só deserto, de chão rachado como o do sertão.

O barco estacou. A proa encalhou na areia úmida, permanecendo a popa ainda dentro da lama (ou o contrário, já que ninguém sabia onde ficava frente e traseira ali). Era final de tarde e escurecia. Os cinco sóis baixavam no horizonte.

— Chegamos, meus bons infantes — informou o lorde, aproximando-se de Pepeu e Alicinha. — Já estamos em território dos Tômedes viris. Que acha, então, a senhorita, de fornecer-me aquela iguaria combinada?

A menina entregou um pedaço da pecinha para o lorde e outro para o servo. O primeiro comeu e lambeu os lábios, soltando gemidos. Já o segundo... Bom, assim que Caluda ingeriu seu bocado, mudou completamente de expressão. Ficou ativo, rápido, elétrico. Até seu corpo se endireitou, perdendo a curva do estômago.

Dando pulos de alegria e jogando as mãos para cima como quem comemora um gol, berrava:

— Mas que beleza, rapaz! Que delícia, rapaz! Maravilha, rapaz! Tô sentindo uma força danada, ha! ha! Eba! Viva! Sou um homem livre. Livre!

E então, sempre pulando, saltou para fora do barco, caiu no rio enlameado e foi embora nadando, de peito virado para cima.

— Viram o que vocês fizeram? — lamentou o lorde. — Perdi o meu servo fiel! Sou um nobre. Chamo-me Lorde Cacatu. Sem um servo, sofrerei as conseqüências.

— O senhor não é lorde nada — respondeu Pepeu irritado. — E mesmo que fosse, por que o outro é servo? Qual a diferença entre vocês?

— A diferença é que eu possuo esse barco e comida.

— Comida, aquilo que tá no porão? Água suja e coisa podre?

— Bom, é o que se pode conseguir nesses tempos, amigo amado. E agora, quem vai procurar alimento para mim?

Pepeu não disse mais nada, porque naquele instante ouviram um barulho como de algo se partindo. Em seguida o barco tremeu. E uma imensa serpente, cheia de dentes, saiu de dentro da terra seca, pouco à frente deles.

— Ui, que desgraça! Ai, ai, ai, que sofrimento! — gritou Tinu, que tinha voltado a se esconder atrás do trono desde que haviam entrado em terra dos Tômedes. — Socorro, paizinho! Me salve, mãezinha! É o Monstro de Sirccie!

O País Sem Nome

22.
O MONSTRO DE SIRCCIE

O Monstro de Sirccie ergueu sua cabeça horrenda sobre o barco e abriu a bocarra de dentes afiados como os de um felino. Seu corpo se revestia de pêlos de burro e acabava num rabo parecido com o de cachorro. Tinha um olho apenas, sob a mandíbula. Soltava uns guinchos de besta agredida. E sua língua perfurante era de pedra.

— Vamo'sair daqui! — gritou Pepeu e, dando as mãos a Alicinha e Tinu, saltou da popa para o que restava do rio.

— E eu, meus bravos irmãos? E eu? Quem há de me tirar daqui? — disse desesperado o Lorde Cacatu ao observar a cena.

— Pula, bobão! — falou Alicinha que, juntamente com os outros dois, nadava para longe do perigo.

— Pular? Como assim? É de fazer esforço físico? Minha alma nobre não pode rebaixar-se a tanto, fugitiva amiga. Chamo-me Lorde Cacatu e se essa cobra não me respeitar vai sofrer as conseqüências!

Talvez o lorde ficasse a vida toda ali, perguntando o que fazer ou tecendo ameaças, sem tomar uma iniciativa. Mas o fato é que a serpente, rugindo e recuando o corpo, deu um bote violento em sua direção e, certamente por instinto, o homem se viu obrigado a saltar para fora, berrando:

— Céus! Quanta humilhação!

A mordida do bicho rompeu o convés do barco e o partiu ao meio. Tábuas e pedaços de madeira voaram para todos os lados. Os meninos tinham alcançado a areia seca do deserto e corriam para os lados das montanhas. O lorde disparou na direção contrária, já sem bengala, cartola ou tamancos, puxando a perna e repetindo:

— Chamo-me Lorde Cacatu! Lorde Cacatu!

O Monstro de Sirccie reergueu a cabeça ainda mais furioso e deu novas arremetidas, espatifando inteiramente a embarcação. Mastigava o madeirame com sofreguidão, deixando escorrer um líquido azulado pelos cantos da boca. Por fim, soltando sons irados, voltou para dentro da terra.

— Ufa! Quase que a gente dança — falou Alicinha, diminuindo o passo.

— Quase. Mas pra onde será que foi o lorde? — perguntou Pepeu.

— Deve estar correndo até agora. E a gente? Pra onde é que a gente vai?

— Não sei. Qual é o caminho, Tinu? Tinu?

O pequeno estava com a cabeça colada no chão, escondida sob os braços. Falou com voz abafada:

— Sei não, pai. Quero ir pra canto nenhum não, eu. Aqui tá bom.

— Vai ficar aqui, pouca-sombra? — disse Alicinha. — E se a "cobrona" voltar?

— Ai, que medo! Ui, que desgraça! — reagiu o homenzinho, levantando-se e já andando rapidamente. — Vamo' embora, vamo'. A gente tem que seguir essas montanhas aí. Quando chegar no fim delas, já é a cidade dos Tômedes.

Seguiram pela planície. De ambos os lados do caminho, cadeias de montanhas os acompanhavam. Não tardou a ficar de noite. As três luas surgiram no céu e também uma multidão de estrelas cônicas de várias cores. A luz que vinha delas permitia que enxergassem um pouco. Não havia vegetação ou água por parte alguma.

— Só quero saber onde a gente vai dormir — reclamou Alicinha.

— *Arrente* encontra um lugar — assegurou Pepeu.

— Isso aqui é perigoso, mãe — falou o pequeno, que caminhava entre os dois primos. — Muito perigoso, muito. Deve tá cheio de bicho querendo comer a gente!

— Que nada, Tinu. Se 'tiver, eu dou um jeito neles. Pego e...

— Já sei, já sei, Pepeu: dá uma e outra, e mais uma e outra.

— Exatamente. E faço assim, assim, assim.

O País Sem Nome

— Claro. Agora, já que você é o máximo, por que não arruma um lugar onde nós possamos dormir?

— Vou arranjar. Calma. Vamo' andando que eu arrumo.

Aos poucos, as montanhas iam diminuindo de tamanho e espessura. Ficavam como que corroídas. E o chão, mais granulado. Ainda não tinham passado por nenhum local que servisse de abrigo. Até que, numa curva, ouviram música e vozes.

— Que é isso? — perguntou o menino, atento.

— Música, pai. — respondeu Tinu.

— Não diz! — falou Alicinha impaciente.

Andaram mais um pouco e depararam com uma pequena aldeia de palafitas construídas com pedaços de pau e papelão, semidestruídas e sem teto. Não havia mais rio ali, claro. E, para entrar nas casinhas, era preciso subir por escadas que, em sua maioria, estavam quebradas.

Pepeu sorriu, estufou o peito, bateu nos ombros de Alicinha e disse:

— Não falei que arrumava lugar pra dormir?

— Quero só ver.

— Já eu não quero ver não, mãe. Quero ver nadinha. Vamo' voltar, pai? É perigoso!

E assim seguiram adiante.

23.
UMA ALDEIA NO DESERTO

Os moradores estavam reunidos no centro da aldeia. Seguravam taças e pratos de papel e cantavam. Pararam ao ver os viajantes e se aproximaram deles, dançando.

— Ah! Mas que alegria a chegada de estranhos à nossa comunidade. Muito bem-vindos a Hilaríade, amigos! Ah! — disse o que parecia ser o chefe do grupo, sorrindo muito e fazendo um passo de balé, de mãos dadas com os outros.

Ele tinha uma coroa de linha na cabeça e, como os demais, possuía enormes olheiras, cor amarela e era magro como nunca os meninos tinham visto ninguém antes. Aqueles aldeãos tinham a espessura de um dedo! Andavam de joelhos dobrados, curvados sobre o próprio corpo. E no lugar onde deveria ficar a barriga deles havia um oco, algo como um gigantesco umbigo.

— Ah! não poderíamos estar mais felizes — continuou o líder, girando e fazendo uma firula, sempre acompanhado pelos outros. — Um viva para nossos amigos. Sim, um viva, companheiros! Música, dança, comida e

O País Sem Nome

145

bebida! Vamos festejar! Ah, que satisfação! Venham! Venham todos!

O grupo saiu a dançar, conduzindo os recém-chegados entre cantorias e risadas. Pepeu percebeu que a melodia e o ritmo que acompanhavam seus cantos nasciam dos roncos sincronizados de suas barrigas.

— Ah, quanto contentamento! — dizia o chefe. — Venham, amigos, venham! Vocês devem estar cansados da viagem! Aí estão mesas e cadeiras, comidas e bebidas. Participem do nosso banquete! Sentem-se e sirvam-se! Comam e bebam à vontade! Ah, que prazer! A vida é uma festa, não? Venham, companheiros: cantemos para alegrar o jantar dessa boa gente!

Rindo e gargalhando, homens e mulheres cantavam, embalados pelo som coordenado dos estômagos vazios:

"Ah, como é boa a vida
Ah, como ela é bonita
Não há no mundo falha
Não há no mundo desdita"

Os meninos e Tinu apanharam as taças e os pratos que lhes entregaram. Mas não viram cadeiras nem mesas em parte alguma. E muito menos comida e bebida.

— Cadê a comida, hein, pai? Cadê a comida, mãezinha? Tô vendo comida não, eu — perguntava Tinu, farejando o chão.

— Ótimo, Pepeu! Você trouxe a gente para um hospício — disse Alicinha.

— É, eu acho que a fome afetou o juízo desse pessoal — reconheceu o menino. — Bem que a gente podia dar um pouco das "pedras" pra eles, né?

— Podia. Principalmente se eles parassem de cantar e dançar algum dia.

De fato, os aldeãos não paravam de festejar. E não parariam aquela noite. Os três foram ficando com sono e acabaram adormecendo no chão, ali mesmo onde estavam.

No dia seguinte, quando acordaram, o povo de Hilaríade continuava com as músicas e canções, alegres como antes.

— Ah, que bom que vocês acordaram, amigos! — disse o líder. — Hoje nós vamos dar uma festa em nossa comunidade. Sintam-se convidados! Cantemos para festejar o despertar de nossos amigos, companheiros. Ah! Cantemos!

Pepeu tentou falar das "pílulas" para ele, mas o cantar dos hilariadenses não deixava espaço. Após meia hora de tentativas, os garotos resolveram continuar a viagem. Procuraram anunciar a partida, também sem sucesso. E se puseram em marcha.

O País Sem Nome

Não tinham dado mais que dez passos, quando sentiram a terra tremer como num terremoto. Em seguida o solo rachou e, de dentro dele, surgiu mais uma vez o Monstro de Sirccie.

O bicho soltou seus guinchos e arremeteu com a cabeça cheia de dentes. Os hilariadenses, que tinham sido jogados no chão com o tremor de terra, logo se levantaram e voltaram a cantar e dançar.

— Saiam daí! Corram! Olha o monstro! — gritou Pepeu.

— Não é lindo? — respondeu o líder. — Um bichinho realmente magnífico! Venham vocês também, amigos, venham conosco comemorar a chegada desse animal tão dócil e bondoso a Hilaríade! Cantemos, companheiros! Sim, cantemos!

A serpente rugia em meio aos aldeãos e sua evolução festiva.

— Vamos, Pepeu! — disse Alicinha, puxando o garoto pelo braço.

Tinu estava pendurado nas costas dela e só repetia:

— Ai, que desgraça! Ui, que dor!

Os três se afastaram em disparada. Vendo o seu movimento, a cobra gigante se arrastou atrás deles.

— Ela está vindo aí! Corre!

O monstro passou pelo meio dos hilariadenses, que continuavam sua festa como se nada estivesse acontecendo, e foi na direção dos três. Quando estava bem próximo, abriu a bocarra, mostrando todos os dentes. E preparou o bote.

— Ela vai atacar! — gritou a menina.

— Rápido! Me dá uma daquelas "pedras", Alicinha! — pediu o garoto.

— Isso lá é hora de comer, Pepeu!

— Vai!

Ela tirou uma das peças do bolso e passou para o primo. Ele parou, se virou e fez pontaria.

— Vem, Pepeu!

A serpente deu um bote terrível. Pepeu atirou a rodela com toda a força e ela foi cair dentro da boca do monstro. Assim que a comida entrou em sua garganta, a cobra começou a encolher. E encolheu tanto, que quando chegou perto dos meninos, caiu como uma pequena minhoca no chão.

— Não passava de uma minhoquinha! — falou Alicinha impressionada.

— Uma minhoquinha com uma "fomona"! — concluiu Pepeu.

— E ela é tão bonitinha!

Tinu não disse nada porque, àquela altura, tinha desmaiado. A menina, vendo a minhoca tão bonita, frágil e inocente, se apegou ao bicho e o guardou no bolso como uma jóia rara.

O País Sem Nome

Quando o pequeno se recuperou, os garotos retomaram a viagem. A terra ressequida e rachada de antes, que vinha se esfarinhando, agora já era areia fina de deserto. As montanhas tinham desaparecido. Em seu lugar surgiram enormes dunas.

E foi após subirem uma daquelas dunas que eles viram uma cidade numa planície adiante. Era de tarde. Tinham finalmente chegado à cidade dos Tômedes.

24.
ENTRANDO EM CAPITAL

Os meninos chegaram à cidade quando estava escurecendo. Uma muralha, oval como um estádio de futebol, impedia sua passagem. Rampas davam acesso a entradas. Por toda parte, havia guardas com pás aos ombros e ridículos capacetes em formato de livro. Diante dos portões arredondados, tochas acesas.

Do lado de fora, se aglomerava uma multidão dos tipos mais diversos — exemplares variados dos povos do País Sem Nome. Mas os porteiros só deixavam entrar aqueles que eram de sua espécie e que conduziam figuras menores e franzinas em redes e cestas, juntamente com carregamentos de água, madeira, frutas, verduras, folhas, flores e plantas da floresta.

— Quem são esses? — perguntou Pepeu.

— Ui, pai, coitado de mim! Esses daí são os Tômedes! — falou Tinu, se agarrando aos joelhos do menino.

— Agora eu entendo como eles conquistaram o país todo — disse Alicinha com olhos brilhantes. — Um corpo desses!

De fato, os Tômedes tinham um tórax compacto co-

O País Sem Nome

mo rocha, muito largo, e seus braços musculosos, roliços e agigantados chegavam quase até o chão. O rosto era másculo e simétrico, de mandíbulas fortes. Os olhos eram negros.

Vestiam-se com um excesso de panos coloridos que era difícil de identificar. Camisas, casacos, echarpes, *shorts*, calças, vestidos, saias, lenços, chapéus, botas, sandálias, tudo se misturava numa só roupa, que os fazia parecer ainda mais volumosos.

Também usavam vários enfeites sobre a pele alaranjada, numa mistura de brincos, correntes, braceletes, diademas e tiras de tecido. Nas mulheres, os traços eram mais suaves e as formas mais doces. Mas nem por isso se podia dizer que elas eram frágeis.

— Que homens tão fortes... e bonitos... e elegantes... — disse Alicinha encantada.

— Eu não sei se tu "entendeu" direito, Alicinha — falou Pepeu enciumado —, mas esses daí são os do mal, viu? E o objetivo da gente é entrar na cidade e salvar Leleco antes que seja tarde. Só não sei como a gente vai conseguir.

— Ah, mas isso é fácil, Pepeuzinho. Deixa que eu converso com um desses porteiros altos, belos e musculosos. Espera. Volto já.

A menina se aproximou de uma das rampas antes que o primo pudesse impedi-la. Sem outro remédio, ele

a acompanhou, carregando Tinu que, de tanto medo, estava escondido dentro de sua camisa.

— Boa tarde, cavalheiro — disse Alicinha, se dirigindo a um dos guardas com jeito tão meigo que parecia outra pessoa. Ele não respondeu. Ela insistiu: — Realmente, a tarde está linda, não?

O homem olhou para ela mas permaneceu em silêncio.

— Esse seu trabalho é difícil, né? — prosseguiu a garota, mudando a abordagem. — É, sim. Tem de usar muita força, eu sei. Claro, isso não é problema para esses braços fortes, essas coxas grossas, esse peito de aço, essa...

Enquanto falava, o porteiro continuava imóvel. Mas, de repente, interrompeu o discurso dela com um leve safanão, dizendo:

— Sai!

Alicinha recuou desequilibrada e caiu nos braços de Pepeu, que disse ironicamente:

— Oi? E já voltou? Não gostou da conversa do deus grego não, foi?

— Que cavalo!

— Me dá aqui a "pílula" que sobrou. Vou usar o velho truque.

Pepeu pegou a peça e se aproximou do guarda. Fez algum comentário sobre o clima para puxar conversa, mas não conseguiu atrair sua atenção. Então foi direto ao ponto: ofereceu a comida em troca da entrada na cidade. O outro, depois de ouvi-lo calado, repetiu o que tinha feito com Alicinha.

Pepeu caiu no chão e se levantou fulo, pronto para enfrentar o porteiro. Alicinha e Tinu tentavam segurar o menino, que partia para cima do guarda. Naquele instante, ouviram um assobio e alguém disse:

— Ei! Vooocês aí, cidadãos. Venham cá. Veeenham.

A voz vinha de um sujeito que estava encostado na muralha, de braços cruzados e perna na parede. Vestia roupas parecidas com as dos Tômedes, mas não era um deles. Tinha olhos grandes, puxados. E, o mais interessante, sua boca ficava no lado do rosto.

Assim, falava para um canto e olhava para outro, agitando o pescoço sem parar, como um passarinho. E sempre alongando as vogais e afinando a voz no meio das frases. Parecia simpático.

— Venham, cidadãos. Eu posso ajudaaar vocês.

Alicinha convenceu Pepeu a falar com ele, pois temia que o menino brigasse com o guarda.

— Vocês querem entraaar na cidade, não? — continuou o outro, quando eles se aproximaram. — Eu conheço uma passagem livre.

— Conhece? E onde é que ela fica? — perguntou o garoto.

— Eu digo, cidadão. Mas a informaaação vai custar duas *potocas*.

— Duas o quê?

— Duas *potocas*. Ah, vocês são nooovos por aqui, cidadãos? Desculpem — prosseguiu o homem. — *Potoca* é uma bolinha que os Tômeeedes inventaram. Serve pra trocaaar por objetos. Uma cadeira você troca por dez potocas. Uma mesa, por vinte. E por aí vaaai.

— Então é dinheiro.

— Não sei, cidadão. O que é dinheeeiro? Vai ver, é. O que eu sei é que tudo agora é medido em *potoca*. Antes, a gente tinha a floresta, caçava, pescava e comia. Agora, os Tômedes ficaram com tudo pra eles e, se alguém quiser comeeer ou beber, tem que ter *potoca*.

— São uns monstros! — esbravejou Alicinha que, graças a sua experiência com o porteiro, havia abandonado o partido dos Tômedes.

— Pois é, eles são uma gracinha mesmo. Vocês vejam aqui, por exemplo, cidadãos. Construíram essa cidade e não deixam ninguém entrar. Mas quem ia querer morar aí dentro se eles não tivessem destruído a floresta, o rio e ficaaado com o pouco que restou? O problema é que, agora, a fome é tão graaaande que tem gente que prefere vir pra cá e virar um *outrem*. E eles ainda impedem! Só entra quem é caçado na floreeesta.

— *Outrem*? O que é isso?

— *Outrem* é um *outro* que trabalha pros Tômedes.

— *Outro*?

— Desculpem de novo, cidadãos. *Outro* é como eles chaaamam qualquer um que não seja Tômede.

— Entendi. Mas e como é que a gente faz pra conseguir essas *potocas*? — voltou a perguntar o menino.

— O problema é esse, cidadão. A maior parte das *poootocas* tá com os Tômedes. Sobram poucas para os outros povos que estão aí dentro. Agora, se você é um *outrem*, receeebe algumas bolinhas...

— E aí vai juntando, até ter um monte.

— Não, porque quem vai viver sem comer? A comida custa caríííssimo, cidadão. E as *potocas* dos *outrens* são gastas com alimento. Mas o que é que se vai fazer? É a viiida. Não tem como mudar.

— Moço, a gente não tem potoca, mas tem essa peça aqui — disse Pepeu, apresentando a "pílula". — Um pedaço dela alimenta muito. Será que o senhor não pode mostrar o caminho em troca da comida?

Ele fez uma careta, suspirou e disse:

— Booom... Eu acho isso de simplesmente comer e matar a fome uma coisa antiga e ultrapassada. Já a *potoca*, não. *Potoca* é moderno. Uma grande invenção! Inclusive tem uma lei que proíbe qualqueeer tipo de negócio que não seja feito utilizando *potocas*. E eu sou pela lei! Mas, como a gente não tá dentro da cidade e eu tô com fooome, vou abrir uma exceção. Gostei de vocês. Me acompanhem. É pooor aqui.

O homem deslizou para o meio da multidão e os meninos o seguiram. Ele andava jogando os braços para a frente como se estivesse nadando e movia as pernas como se patinasse.

Após andarem cerca de uma hora, chegaram a uma região deserta perto da muralha. Não havia guardas ali. O homem pediu o pagamento e, após receber e guardar seu farelo da "pílula", removeu uma grande pedra do chão e descobriu a entrada de um túnel.

— Taí. Agora é só atravessar o túúúnel. A cidade fica do outro lado. Boa sorte, cidadãos.

Os meninos fizeram como ele havia dito e em pouco tempo estavam dentro de Capital.

25.
DENTRO DA CIDADE

Alicinha, Pepeu e Tinu caminhavam pelas ruas, impressionados com o que observavam. A capital dos Tômedes não tinha nada que ver com os outros locais, sujos e devastados, do País Sem Nome.

Ali as ruas eram limpas, bem cuidadas e iluminadas. Tochas pendiam de postes nas calçadas. Havia jardins, parques, árvores e canteiros. As casas, em sua maioria ovais ou cilíndricas como uma torre, eram bonitas e coloridas.

Por toda parte podiam ver os Tômedes se divertindo em jogos, brincadeiras e reuniões festivas. E sempre cercados por muitos *outrens*, que os serviam das maneiras mais diversas: pintando paredes, construindo casas, carregando objetos, levando recados.

Comida e bebida não faltavam. Em frente das casas, as famílias se reuniam em banquetes alegres e festivos, com dança e música. Lojas dispunham vários objetos à venda: roupas, instrumentos musicais, ferramentas, comida. Artistas faziam pinturas e esculturas ao ar livre.

— Que lugar lindo! — exclamou Alicinha encantada.

O País Sem Nome

— Eu quero ficar aqui, eu, pai! Esse lugar é uma beleza, beleza. Vou embora mais não.

— Deixa de ser besta, Tinu — falou Pepeu. — Não tá vendo que esses Tômedes só são ricos assim porque roubaram o resto do país todo e usam o trabalho dos outros povos? Quem não é Tômede aqui não tem vez, pequeno. A gente precisa é encontrar logo o Mercado.

Os três tinham chegado a uma rua larga. Ali, as vias eram um emaranhado de pequenos caminhos, que se dividiam confusamente, nem sempre seguiam uma linha reta e muitas vezes se partiam ou acabavam sem necessidade.

Pararam um minuto entre as várias pessoas que passavam, para pedir informação. Então se aproximou deles um vendedor, auxiliado por dois *outrens*. Estes carregavam uma espécie de mesa, cheia de objetos estranhos, muitos deles parecendo quebrados.

— Boa tarde, minhas criaturas lindas — disse o Tômede. — Vejam quanta, quanta, quanta coisa maravilhosa. Nós temos aqui esse, esse, esse belíssimo copo sem fundo. Essa mesa sem tampo é a última, última, última moda. Uma fechadura cuja chave não funciona. Arame, arame, arame farpado liso. Uma garrafa, garrafa, garrafa de suco vazia. Uma bola quadrada. Papel rasgado. Tudo, tudo, tudo última moda.

— Como? E isso vende? — perguntou Alicinha, espantada com os artigos inúteis que o sujeito oferecia e, mais ainda, com seu jeito de falar, repetindo as palavras.

— Claro, senhorita — respondeu o vendedor. — É a, a, a última moda.

— Mas não serve pra nada!

— Coisas para a beleza, beleza, beleza e para o prazer, senhorita. Além do mais, se não, não, não houvesse essas coisas, os Tômedes iam gastar todo o dinheiro que têm com quê?

— Com comida.

— Ah, isso a gente tem, tem, tem de sobra. E então? Vão querer?

Os meninos fizeram "não" com a cabeça. O vendedor resmungou:

— Sabia, sabia, sabia. São *outros*!

E gritou o pregão:

— Olha o caneco, caneco, caneco furado e a mesa sem tampo, olha! Promoção! Olha a bola quadrada, quadrada, quadrada e o papel já escrito, olha! Última moda! Tudo última, última, última moda!

Então duas mulheres tômedes chegaram correndo, ao mesmo tempo, perto da mesa. Como as demais, elas estavam muito pintadas, enfeitadas e vestidas. Andavam com os braços levantados à altura dos seios e as mãos soltas, pendidas, como os cangurus. E requebravam tanto o corpo que pareciam executar uma dança bizarra.

O País Sem Nome

— Ai, que caneco lindo! Eu, eu, eu quero um desse pra mim, moço — disse a primeira para o vendedor, apanhando o caneco furado.

— Eu vi, vi, vi primeiro — respondeu a segunda, segurando o mesmo.

— Fui eu, eu, eu!

— Larga!

— Me, me, me dá!

Puxavam e empurravam o objeto. O vendedor interveio, pedindo calma.

— Eu sou, sou, sou Tômede de sangue nobre — continuou a primeira, sem prestar atenção ao homem.

— Eu, eu, eu também. Mas, mas, mas você tem cabelo feio — reagiu a segunda.

— O quê? Meu cabelo é, é, é lindo! Já você tem, tem, tem o nariz torto.

— Nariz, nariz, nariz torto, eu? Feiosa!

— Você é que, que, que é feia.

— Não, é, é, é você.

A discussão durou longo tempo, durante o qual só faltaram quebrar mais ainda o caneco, que já era furado. Por fim, o vendedor conseguiu apartar as duas, que partiram cada uma para o seu canto, chorando em altos berros e repetindo: "Ela me chamou de, de, de feia! Ela me, me, me chamou de feia!".

Os três retomaram o passo meio tontos com a cena. Adiante, viram um grupo de Tômedes cercados por *outrens* num descampado que parecia ser uma arena de jogos.

Uma das brincadeiras, ali, consistia em jogar *outrens* pelo espaço: quem fizesse um lançamento mais longo ganhava mais pontos. Outra era uma corrida bizarra em que os Tômedes iam rolando os pobres coitados pelo chão: quem chegasse primeiro ganhava. E havia várias outras atividades desportivas dessa espécie.

— Olha aí, nanico — disse Alicinha ironicamente. — Não quer ficar aqui, não? Acho que você dava uma bela bola.

— Quero não, mãe. Ai, que dor!

— Será que eles não percebem que 'tão machucando as pessoas? — disse Pepeu extremamente irritado e partiu para dentro da arena esportiva.

— Pepeu! Volta aqui, Pepeu! — gritou a menina, tentando impedir que ele avançasse.

Mas, como sempre que estava de cabeça quente e com o senso de justiça aguçado, o garoto seguiu em frente. Aproximou-se de um Tômede que participava de um jogo de arremesso, e esbravejou, apontando para o *outrem*:

— Solte "ele", agora!

Tinu se tremeu de medo. Alicinha levou as mãos à cabeça.

O País Sem Nome

26.
ENFRENTANDO UM TÔMEDE

O Tômede olhou para baixo e, parando de rodar o *outrem* magrelo e assustadiço que tinha acima da cabeça, perguntou inocentemente:

— Esse?

Pepeu fez que "sim". Ele largou o indivíduo. O garoto gritou: "Não!". Mas já era tarde. O magrelo caiu direto no chão à frente deles com um berro:

— Aaai!

— Que foi que ele fez? — disse o Tômede.

— O que ele fez, não. O que *você* fez. Não tá vendo que tá machucando?

— Machucar? Mas, mas, mas o que é isso?

— Fazer o outro sofrer, ter dor.

— Ah, então é como quando, quando, quando alguém bate em mim e dói!

— É. Exatamente.

— Mas ele, ele, ele não bateu em mim.

— Eu sei. *Você* é que bateu nele.

— Mas não, não, não doeu nada em mim.

— Claro que não, bocó — falou Alicinha, que tinha acabado de chegar com Tinu agarrado às pernas. — Doeu nele.

— Sim, pode até ser. Mas e daí? Eu, eu, eu não tô entendendo.

— Filhinho, quando a gente bate numa outra pessoa também dói. Dói na outra pessoa, não é na gente. E ela não gosta nada disso.

— Até num *outro*?

— Pepeu, esses cabeças-de-pedra não têm nada no juízo, coitados — falou a menina.

— É, sim, sim, sim, meu camarada — disse Pepeu, respondendo ao Tômede e imitando, sem querer, seu jeito de falar.

— Mas quem, quem, quem foi que disse isso? Nunca ouvi, ouvi, ouvi falar dessa história.

— Tu não se "machucou"? — perguntou Pepeu ao *outro*, que estava ajoelhado no chão, todo trêmulo.

— Não, querido. Não dói nada. Nem um pouquinho. E é tão divertido! — disse ele, estalando os ossos do pescoço.

— Viram? — falou o Tômede.

— Vi — reagiu Pepeu. — Vi que ele tá morrendo de medo e por isso não diz a verdade. Foi isso que eu vi.

— Mas afinal de contas, quem, quem, quem são vocês? — disse o grandão, começando a se irritar e co-

O País Sem Nome

locando a mão no peito. — Eu me chamo Adesta, sou um cidadão do País, de nobre sangue Tômede. E vocês?

— Eu me chamo Alice, sou cidadã do País das Maravilhas, de nobre sangue Silva — disse a menina, imitando o gesto do outro.

— Não vou me deixar afrontar, afrontar, afrontar por indivíduos de classe inferior — continuou o musculoso, com olhos faiscantes e voz alterada. — Olhem para mim. Minha pele é laranja. Meus braços são, são, são longos. E meu orgulho tômede não aceita ofensa de um *outro*. Se me irritarem, vou tomar as, as, as devidas providências.

— Calma, senhor "A Besta" — falou Alicinha. — Nós só queremos conversar. Use um pouco a inteligência.

— Inteligência? O que, que, que é isso? Vocês estão querendo me enganar? Estão querendo me roubar! São ladrões, ladrões, ladrões! Claro, com essas roupas, essa cor de pele, essa estatura... São *outrens* fugitivos! Querem levar minhas *potocas*, meus bens, minha casa! Mas eu não vou deixar, deixar, deixar. Não vou. Eu sou um Tômede!

— Ah, é? Eu vou te mostrar quem é ladrão!

Pepeu disse isso e desferiu um chute no Tômede com toda a força. Mas seus dedos do pé pareciam ter atingido uma parede.

— Ai!

O outro não sentiu absolutamente nada. Insistente, o menino se reaproximou:

— Agora, sim, você vai ver!

Mas Alicinha o puxou com força, enquanto o Tômede gritava furioso:

— Eu vou pegar vocês!

— Corre, Pepeu!

— Correr, nada! Ele me paga, Alicinha.

— Vem, Pepeu!

— Corre, paizinho!

Tinu e a garota conseguiram arrancar o menino da arena e dispararam na carreira. O Tômede veio atrás deles. Curiosamente, não corria. Dava cambalhotas, girando atrás dos estrangeiros.

— Ladrões! Pega! Ladrões!

— Ladrão, é? Eu vou voltar lá.

— Vamos, Pepeu!

— Ui, que desgraça!

Tinu estava pendurado nas costas da menina. Agora vários Tômedes, chamados pelo grito do outro, perseguiam os três.

— Ladrões! Ladrões!

Correram como podiam, entraram e saíram de ruas, cruzaram avenidas. E só depois de muito tempo conseguiram despistar seus perseguidores, ao se enfurnarem num bairro afastado e escuro.

O País Sem Nome

Pelos tipos do lugar, logo perceberam que estavam numa região habitada por *outrens*. Ali, as pessoas se amontoavam em residências pequenas, quadradas, cinzentas, sem portas ou janelas, onde se entrava através de um buraco no chão.

O bairro era enorme. Na verdade, à medida que caminhavam por ele, os garotos percebiam que as casas bonitas, grandes e ricas dos Tômedes ficavam apenas nas ruas centrais, eram pouquíssimas e estavam cercadas pelas moradias dos *outrens*.

— E agora? Tu ainda "acha" o lugar lindo, Alicinha? — perguntou o menino, quando já tinham pedido informações e retomado o caminho.

— Que absurdo! Isso aqui fica escondido!

— E tu, Tinu? Ainda *queres* morar aqui?

— Quero não, pai. Mudei de idéia.

— O que esses Tômedes precisam mesmo é de uma lição e... Ei! Acho que aquilo ali é o Mercado!

De fato, Pepeu estava certo. Podiam ver o lugar de onde estavam. Ficava a pequena distância, num montículo onde se aglomeravam barracas e tabuleiros de pano sobre suportes de pedra.

Nervosos, os três apressaram o passo. Logo se misturaram a feirantes e compradores, e se puseram a procurar o primo. Aliás, os primos, porque Tinu também buscava o seu.

Então, numa ala afastada, toparam com um local para exposição de *outros* em imensos balaios. E eis que, no fundo de um destes, muito mais magro e pálido, finalmente encontraram Leleco.

27.
LELECO ENCONTRADO

Quase explodindo de alegria, Alicinha se aproximou da cesta onde estava o primo e deu vários gritos:

— Eu não acredito! Leleco! Leleco!

Mas o menino permaneceu imóvel, de olhos fechados, como se dormisse. Pepeu então apanhou do chão e atirou algumas pedrinhas por entre as taliscas do balaio, atingindo de leve a cabeça do primo, que estava imprensado entre várias outras criaturas:

— Leleco! Acorda, Leleco!

— Somos nós, Leleco! — insistiu Alicinha. — Que bom que a gente te encontrou!

Leleco de repente abriu os olhos, levantou o peito, abanou a cabeça, bocejou, coçou o rosto e disse:

— Esse sonho de novo? Ora, droga!

Em seguida voltou a se deitar com um suspiro de enfado.

— Ei! Somos nós, bocó! Não é sonho, não!

— Olha a gente aqui, Leleco!

Ele ergueu o corpo de novo e fixou os olhos nos primos:

— Alicinha? Pepeu? 'Cês 'tão aqui?

Depois se levantou e correu até onde estavam os dois. Mas, desastrado como era, acabou tropeçando e caindo sobre alguns *outros*, que permaneciam deitados, de olhos abertos e mudos, entregues a uma preguiça provocada pela fome.

O menino se levantou e tornou a cair algumas vezes, até que conseguiu se aproximar de Alicinha e Pepeu, com seu jeito nervoso. Os três então passaram a comemorar o reencontro, entre risos e frases alegres.

— Como é que 'cês conseguiram chegar aqui? — perguntou Leleco, com uma voz rouca e fraca e um aspecto de quem não dormia havia dias.

— Pense numa história longa! Tu nem "imagina" o que a gente passou — disse Pepeu.

— Por favor, me tirem daqui! A gente passa tanta fome e sede que dá vontade de chorar.

— Não seja por isso — falou Alicinha.

Ela sacou a "pílula" do bolso e a entregou ao menino, dizendo:

— Coma essa coisa. Basta um farelinho de nada.

Desconfiado, fazendo careta, Leleco mastigou um pouquinho da substância. Logo em seguida sorria, estava bem disposto e parecia ter rejuvenescido. Ficou até meio lerdo e sonhador, rindo bobamente.

— Isso é bom, *gentche*!

— Gostou? Fui eu que fiz — mentiu a garota.

Naquele instante a conversa foi interrompida por um Tômede, que se aproximou, falando:

— E então? Gostaram da mercadoria? É de primeira, primeira, primeira qualidade, senhores. Temos de vários tipos e de todas, todas, todas as cores. Cada produto serve a uma utilidade. Os pequenos, para, para, para limpar o chão. Os grandes, para limpar o teto. Os com mais de dois pés, para levar, levar, levar recados. Os com mais de dois braços, para fazer massagem. Custam pouco, pouco, pouco e não dão trabalho. Se contentam com dois dedos d'água e uma mão, mão, mão de comida por dia.

— E eu me contento com uma mão, mão, mão na sua fuça. Tire meu primo daí agora, seu cabeção! Não tem vergonha de tratar os outros assim? — esbravejou Alicinha, imitando de propósito o sotaque do Tômede.

— Como, senhora? Então não gostou, gostou, gostou do produto? Mas temos tantos! Veja bem. Esse aqui, aqui, aqui, por exemplo...

Enfiou o braço dentro do balaio e apanhou um *outro* do tamanho de um livro.

— Aqui está. Esse exemplar, freguesa, é excelente, excelente, excelente para procurar pequenos objetos perdidos. E custa uma pechincha, quase nada, nada, nada.

— Largue! Você vai esmagar o pobre coitado! — gritou Pepeu.

— Esmagar? Mas o que é, é, é isso?

— Apertar. Você tá apertando "ele". Isso dói!

— Engraçado. Eu não, não, não senti nada.

— É nele que tá doendo! Nele!

— Que idéia! Quem já ouviu falar numa coisa dessa? Ele é um *outro*!

— Pepeu, não adianta argumentar — disse Alicinha. — Esses daí são todos iguais. Só sabem o que é dor neles mesmos.

— Olhe, meu amigo, a gente não quer fazer compra nenhuma — falou Pepeu. — Só quer que você solte esse daqui, ó. Nosso primo. E logo.

— Mas os senhores acabam de me prestar, prestar, prestar um grande favor — disse o vendedor, colocando o pequenino de volta no lugar e se referindo agora a Leleco, que continuava abobado e sorrindo à toa, alheio à discussão. — Quando eu adquiri essa criatura, eu nem sabia a que espécie pertencia. Nunca tinha visto um bicho, bicho, bicho desses assim antes. Pois agora, agora, agora os senhores esclareceram tudo. "Primo", não? "Primo" é o nome da espécie. Fico muito agradecido. Agora, desculpem, desculpem, desculpem minha indiscrição, fregueses, mas por acaso os senhores não pertencem ao mesmo povo?

— Ao mesmíssimo, cabeça-de-pedra — respondeu Alicinha. — Somos da família dos *Brasilianus Erectus*.

— Que coisa interessante! Mas são livres, não? Sim, porque não sei se os senhores sabem, mas há leis neste país. E uma delas diz que *outrens* não podem circular pelo Mercado.

— Principalmente os que estão nos balaios, não é? — respondeu Alicinha.

— Boa pergunta. Sabe que eu, eu, eu não sei?

— E os que não têm lápis também.

— Será?

— Claro. Se não têm lápis, como é que vão "circular"?

— Tem, tem, tem razão.

— Mas não se preocupe. Nós viemos até aqui reto, bem retinho. Se viemos reto, não "circulamos" e, sim, "retalamos". E "retalar" ainda não foi proibido, ou foi?

— Não. "Retalar", que eu saiba, não. Mas... Você por acaso, acaso, acaso não está fazendo graça, não é?

— Nããã0. Imagina!

— Sim, porque eu, eu, eu sou um Tômede — disse o homem batendo no peito, os olhos brilhando. — Minha pele, pele, pele é laranja. Além do mais, a lei também proíbe que se faça graça. Humor, não pode. Ponha-se no seu lugar. Agora me dêem licença, licença, licença. Preciso atender outros fregueses.

O homem se afastou bufando. Alicinha sussurrou:

— Eh, povinho burro, Pepeu! Chega a dar pena... Uma gente tão alta, e forte, e bonita, e...

O País Sem Nome

— Alicinha! Dá pra parar? A gente precisa tirar Leleco daqui! — disse o menino, se voltando para onde estava o primo. — Por que será que ele ficou assim, hein? Leleco! Acorda, Leleco! Tu "precisa" reagir.

— O pobre não via comida há tanto tempo que ficou leso.

— Aliás, vocês todos aí dentro precisam reagir. Vão aceitar virar *outrens*, é? Esses Tômedes precisam de uma lição! Eles podem até ser fortes, mas os *outros* 'tão em muito maior número aqui na cidade. Todos juntos podem derrotar esses bandidos. E, além disso...

O garoto interrompeu o que dizia porque Tinu, que tinha saído pelo Mercado procurando pelo primo desaparecido, voltava agora agitado e saltitante:

— Pai! Mãe! Achei meu primo! Ele tá ali, do outro lado! Vem, vem!

— Calma, Tinu. *Arrente* vai.

— Logo, pai! Logo! Vamo' salvar Tinó!

E estavam assim, quando ouviram um grito:

— Ali! São aqueles! Prendam, prendam, prendam aqueles três ali!

De repente se viram cercados por uma infinidade de Tômedes. Logo foram dominados. E a mesma voz ordenou:

— Levem, levem, levem! Levem-nos para o "Redondo Judicial"!

28.
O REDONDO JUDICIAL

Os meninos e Tinu foram escoltados por soldados vestidos exatamente como os porteiros. À frente do grupo iam outros Tômedes, entre os quais o homem que havia apontado os garotos para os guardas, e que era o mesmo que os tinha perseguido momentos antes, na arena esportiva.

— Agora vocês vão ver, ver, ver o que significa atacar a gente de bem de nossa cidade! — dizia Adesta. — Este, este, este país tem leis.

Ao lado dele, seguia o vendedor de *outros*. Os dois conversavam entre si e com um dos guardas. Atrás dos garotos, curiosos que estavam no Mercado na hora da detenção. Alguns estavam raivosos e caminhavam pesadamente, falando alto e fazendo ameaças. Outros davam informações aos passantes que paravam para perguntar o porquê da aglomeração.

Atordoados, Alicinha e Pepeu não conseguiam escutar direito o que diziam. Tinu estava mudo e trêmulo. E assim, ao fim de alguns minutos, chegaram ao destino.

— Venham! — ordenou um guarda, e eles entraram.

O Redondo Judicial era, como as outras casas da cidade, um edifício oval. No lugar reservado às janelas, possuía uma série de pequenos orifícios, cavados próximos uns aos outros, que lhe davam um esquisito aspecto de colméia.

No interior do prédio, do chão ao teto, havia inúmeras portas, separadas por espaços irregulares e servidas por escadas de pedra de tamanhos variados, que serpenteavam em todas as direções, se cruzavam e bifurcavam. Não havia corredores. Tômedes entravam e saíam por aquelas portas, subindo e descendo as escadas continuamente.

Ao longo do saguão, distribuídos desordenadamente, havia tronos altos, de duas pernas apenas e assento muito mais largo que o espaldar. Sentados neles, viam-se Tômedes vestidos espalhafatosamente, com capas azuis e um estranho objeto de pano vermelho que cobria as orelhas como um fone de ouvido.

Eram os juízes. Iam ditando suas sentenças para o primeiro da fila de *outros* que aguardavam a hora do julgamento. Guardas, em posição de sentido e com as eternas pás nos ombros, colocavam-se entre os acusados. A maioria das vezes, eram eles mesmos que faziam a acusação.

Tinu, Alicinha e Pepeu foram levados para o final de

uma daquelas inúmeras filas. Puderam perceber que todos os que aguardavam julgamento eram *outros*. O juiz ouvia o que o acusador tinha a dizer, fazia algumas poucas perguntas ao réu e logo o condenava, sem que houvesse direito a defesa ou apelação.

Então o condenado devia se dirigir sozinho a uma abertura oval no centro do saguão e descer as escadas para o subterrâneo. O fluxo de *outros* que sumiam para dentro daquele buraco, vindos de todos os lados, era contínuo. Também a todo minuto entravam novos acusados no prédio, trazidos por soldados.

Alicinha, Tinu e Pepeu esperaram em pé durante muitas horas. Quando finalmente chegou a vez de serem julgados, o vendedor e o homem da arena se adiantaram e se colocaram ao lado deles. Um dos guardas que os tinha acompanhado até ali ficou a pequena distância. Com a demora, os demais Tômedes da escolta já haviam se retirado do prédio.

— Qual é a, a, a acusação? — perguntou o juiz de mau humor, coçando o queixo.

— Esses três aqui, Excelência, Excelência, Excelência, são radicais — disse Adesta. — Estavam na arena, arena, arena divulgando idéias.

— Que idéia exatamente?

— A de que os *outros*, *outros*, *outros* sentem dor, Excelência.

— Ah, mas então são radicais subversivos! Alguma testemunha?

— Eu, Excelência, Excelência, Excelência — falou o vendedor. — Eu vi. Os três estavam no, no, no Mercado dizendo a mesma coisa.

— Muito bem. Confirmado. Condeno os três à pena, pena, pena máxima. Vão. Os condenados podem seguir, seguir, seguir. Próximo!

— Como? Então é assim? O julgamento está encerrado? — esbravejou Alicinha, indignada, colocando as mãos na cintura.

— E nosso direito de defesa?! — gritou Pepeu.

Tinu permanecia calado e trêmulo, segurando-se nas pernas dos amigos. O juiz, o acusador e a testemunha fizeram cara de espanto. Após alguns segundos, o primeiro disse:

— Sim, sim, sim, nós temos um defensor aqui em algum lugar.

Deu um grito e, pouco depois, um outro Tômede se aproximava, com um chapéu em forma de bola, abaixando a cabeça num sinal de respeito.

— Excelência!

— Esses três são acusados de divulgar idéias radicais subversivas — disse o juiz para ele.

— Peço a pena máxima, máxima, máxima para eles, Excelência — respondeu o defensor automaticamente.

— Mas você deveria nos defender! — berrou Alicinha.

— E o que é, é, é que estou fazendo?

— Acusando! Pediu a pena máxima! — explicou Pepeu.

— Sim. Mas há a, a, a pena máxima vezes dois, que é ainda pior.

— Você não ouviu nem os detalhes da acusação!

— Tem razão. Com todo respeito, respeito, respeito: que idéias são essas de que eles são acusados, Excelência?

— Espalham pela cidade que os *outros* sentem dor e têm, têm, têm sentimentos — respondeu o juiz.

— Oh, mas que, que, que absurdo! — voltou o defensor. — E quem faz a acusação?

— Eu, amigo — disse o da arena.

— Oh, mas se não é o nosso, nosso, nosso grande Adesta. Um homem nobre e de fama. Acho que não há necessidade de testemunhas...

— Posso testemunhar, testemunhar, testemunhar a favor dele — falou o vendedor. — Fizeram o mesmo no Mercado.

— Ah, nosso Arefro, vendedor, vendedor, vendedor de grande reputação! Excelência, diante dos fatos, só posso reconsiderar minha defesa e dizer que, sim, concordo que tenham, tenham, tenham a pena máxima vezes dois.

O País Sem Nome

— Está decidido — disse então o juiz. — Condeno os três à pena máxima vezes dois. Que saiam os apenados. Preciso prosseguir com os julgamentos. Próximo!

— Esse julgamento é uma farsa! — contestou Alicinha. — Nós íamos ser condenados de qualquer jeito! Eu não vou a canto nenhum!

— Muito menos eu! — concordou Pepeu.

— Eu vou, pai! Quero confusão com esses daí não! — sussurrou Tinu.

O juiz se indignou:

— Como? Então ousam desrespeitar uma, uma, uma decisão judicial? Eu represento a lei, a lei, a lei! São perigosos desordeiros. Guardas! Levem esses daqui!

Ao ouvir aquilo, Pepeu puxou a prima e o amigo, gritando:

— Corre!

Os três dispararam por entre as pessoas que lotavam o fórum. Guardas se precipitaram de todos os lados atrás deles. Alguns saíam das portas dos andares superiores e desciam a toda pressa, dando cambalhotas pelas escadas.

O portão de entrada foi fechado. E, após alguns minutos de perseguição, os meninos e Tinu foram capturados.

— Me larga! — berrava Pepeu.

— Solta, cabeção! — resmungava Alicinha.

— Ui, que desgraça! Ai, que sofrimento! — repetia Tinu.

Carregados pelos guardas, os três foram levados até a abertura oval por onde desciam os condenados.

Porém, antes que descessem as escadas, ouviram uma grande confusão do lado de fora do Redondo Judicial. Eram vozes desencontradas, gritos, exclamações e vivas, que cada vez se aproximavam mais. Até que se tornaram um barulho ensurdecedor.

De repente, o portão do palácio foi arrombado e uma multidão de *outros* entrou, gritando:

— Abaixo os Tômedes! Abaixo os Tômedes! Abaixo os Tômedes!

À frente deles, levado sobre os ombros, estava ninguém mais, ninguém menos que Leleco.

29.
ABAIXO OS TÔMEDES!

A multidão se aproximou de onde estavam Alicinha, Pepeu e Tinu. Leleco levantou um braço e todos se calaram. Então o menino disse:

— Tômedes! Soltem meus amigos. Soltem todos os *outros* e *outrens*. A partir de hoje, todo mundo é livre. Todo mundo é igual.

Ouvindo aquilo, os que aguardavam julgamento e os que entravam pelo buraco oval soltaram vivas. Pepeu e Alicinha estavam impressionados. Não entendiam o que estava acontecendo. O que é que Leleco fazia ali em cima? Como é que tinha conseguido escapar e reunir tanta gente? Onde encontrara tanta coragem?

Fosse como fosse, o certo é que os Tômedes se indignaram. Um dos juízes gritou:

— Quem são vocês, meros *outros*, para dizerem, dizerem, dizerem o que nós, Tômedes, devemos fazer? Coloquem-se nos seus lugares, lugares, lugares. Nossa pele é laranja. E não vamos nos, nos, nos submeter ao desejo de seres inferiores. Guardas! Prendam, prendam, prendam esses arruaceiros! Que seja restabelecida a ordem!

Os guardas partiram para cima dos recém-chegados. Houve um minuto de indecisão por parte dos rebeldes. Pepeu gritou:

— Lembrem que eles não são o que parecem!

Então os revoltados marcharam adiante. Vendo que estavam resolvidos a enfrentá-los, os guardas pararam por um instante. Em seguida recuaram, trêmulos. E por fim, correram, ou melhor, deram cambalhotas na direção oposta, gritando desesperados:

— Eles não, não, não estão com medo! Socorro!

Logo todos os Tômedes ali presentes faziam o mesmo, tentando escapar como podiam, dominados pelo pavor.

— Corram! Eles, eles, eles não têm mais medo da gente!

Na pressa, acabavam esbarrando uns nos outros, rasgando suas roupas luxuosas e perdendo seus enfeites brilhantes.

— Alicinha! Pepeu! — gritou Leleco, que tinha descido das costas de seus companheiros e corrido para perto dos primos, assim que o último Tômede sumiu.

— Leleco!

Os três se abraçaram demoradamente, em meio aos ex-*outros*, que pulavam e cantavam, comemorando a liberdade conquistada. Os que estavam no subterrâneo do fórum voltavam à superfície alegres, festejando.

— Como foi isso, Leleco? Como foi isso? — perguntou Pepeu, falando alto por conta da algazarra.

O menino ia responder, mas àquela altura, alguns ex-*outros* o ergueram e voltaram a colocá-lo nos ombros, dizendo:

— Viva nosso líder! Viva!

Leleco ainda conseguiu dizer:

— Vamo' lá pra fora. Lá fora eu explico.

A multidão pouco a pouco foi deixando o edifício, sempre comemorando muito. Pepeu e Alicinha já se preparavam para fazer o mesmo, quando deram pela falta de Tinu.

— O pequeno sumiu! — disse o menino.

— Bem que eu estava sentindo minhas pernas muito leves ultimamente — respondeu Alicinha.

Mas de repente o homenzinho ressurgiu no meio do povo, abraçado a alguém.

— Pai! Mãe! Olha quem tá aqui! — falou, mostrando o companheiro.

Os garotos olharam para o acompanhante de Tinu e viram um sujeito muito parecido com ele, apenas um pouco mais magro e baixo.

— Esse aqui é Tinó, é! Meu primo! — continuou o pequeno.

— É um prazer, prazer. Eu tô encantado, eu — disse Tinó, apertando as mãos dos meninos.

O País Sem Nome

— Pronto! O nanico arranjou um eco — brincou Alicinha.

Fora do Palácio, as ruas estavam tomadas por ex-*outros* em festa. Tinham se apossado de frutas, verduras e de água, de toda a comida e bebida que havia na cidade. Comiam, bebiam, cantavam e dançavam. Tômedes davam cambalhotas em fuga e desapareciam através dos portões da cidade, apavorados:

— Eles não têm mais medo! Corram, corram, corram!

O dia estava raiando. Os cinco sóis surgiam no horizonte, colorindo prédios e casas. Os meninos, Tinu e o primo caminharam até a praça. Ali, reencontraram Leleco entre seus liderados.

Antes que conseguissem chegar até o primo, Pepeu apontou para duas figuras que corriam no meio do povo e disse:

— Vejam só quem chegou pra festa!

Eram Dubar e Duber. E vinham afobados:

— É aqui que tem peixe? Hein, hein? — dizia o primeiro.

— Não sei. Quero saber é se é aqui que tem peixe, isso sim. Peixe fresco.

— Lá vem você querendo tomar refresco!

E assim discutindo, passaram adiante.

— O que esses dois 'tão fazendo aqui? — perguntou Pepeu, abanando a cabeça.

Ele ainda não sabia, mas o caso é que moradores de várias localidades do País acabaram ouvindo falar do levante dos *outros* e *outrens* e da distribuição de comida na cidade. Então, vieram correndo para Capital, que ia se entupindo de gente dos mais diferentes povos.

Assim é que, depois de Dubar e Duber, Pepeu logo avistou o gigante Babal, os Redundantes, o guarda da cachoeira, Lorde Cacatu, Caluda, os cidadãos de Hilaríade, o homem que tinha facilitado a entrada deles na cidade e até Rari, o único que não estava nada contente e só fazia reclamar:

— Quanto barulho! Será possível que esse pessoal não consegue ficar calado? Quem já viu uma coisa dessa? Pelos dedões do meu pé!

Babal, por sua vez, só repetia:

— Ahi, oh, ah! Babal tá com *fame*, ih! Babal tá com *fame*, eh!

Já os Redundantes estavam quase irreconhecíveis, porque, fora da terra, mostravam um corpo atarracado, mais largo que alto. Andavam de lado, todos juntos. E tinham várias pernas, como os caranguejos.

— Oh! Vamos nos alimentar de comida e ingerir alimentos — diziam.

Caluda, que não era mais servo, passou correndo de costas em direção a uma barraca de frutas:

— Que beleza, rapaz!

Lorde Cacatu reclamava que os ex-*outros* estavam comendo com as mãos:

— São uns bárbaros! Uns bárbaros!

O guarda da cachoeira pedia ordem:

— Vamos organizar! Quem é a *otoridade* responsável aqui?

Já o homem que havia facilitado a nossa entrada na cidade, perguntava:

— Mas estão vendendo a comida a quantas *potocas*, afinal?

E os hilariadenses regiam as danças e as músicas.

— Ah! Que alegria! — falava seu líder. — Mas cadê os Tômedes? Será que eles não vêm para a festa? Um povo tão gentil! Festejemos, companheiros! Festejemos! Ah!

Quando Rari se aproximou dos meninos, Pepeu estava pronto para lhe agradecer, dizendo o quanto as "pílulas" tinham sido úteis. Mas antes que pudesse abrir a boca, o outro perguntou logo:

— Cadê minha lanterna?

— Lanterna? Bom... *arrente*... é... perdeu.

— Perderam? Mas era só o que faltava! É isso que dá. A pessoa quer ajudar os outros e olha aí. Perdeu! Huf!

E seguiu adiante, sempre resmungando, sem dar ouvidos às desculpas do menino, que não teve tempo de perguntar se ele, afinal, era ou não um mago.

Àquela altura, Tinu e Tinó já estavam no meio do povo, se fartando de comer e beber e repetindo, ao mesmo tempo:

— Ui, que delícia! Ai, que felicidade!

Quando Alicinha e Pepeu finalmente se aproximaram de Leleco, a menina o puxou pela camisa e disse:

— Agora, herói, conte essa história direito.

Então ele passou a narrar o que tinha acontecido horas antes, depois que os Tômedes haviam levado os dois primos para o Redondo Judicial.

30.
FIM DE HISTÓRIA

O que Leleco contou foi, mais ou menos, o seguinte. Após ter comido a "pílula" e ficado um pouco lerdo, ele tinha sentido suas forças voltarem. Então forçou as taliscas do balaio e elas cederam facilmente.

Assim que saiu da cesta, o Tômede que tomava conta da venda (substituindo Arefro, que tinha seguido para o Redondo Judicial) fugiu com medo, dizendo:

— Ele escapou! Ele, ele, ele escapou!

Vendo aquilo, os companheiros de balaio de Leleco também ficaram impressionados.

— É um feiticeiro! — disseram. — Quebrou o cesto e fez o Tômede fugir!

— Feiticeiro nada — respondeu o menino. — A cesta é fraca e, pelo visto, esses Tômedes também. Só seguram a gente por conta da fome. É como disse meu primo Pepeu: com todo mundo junto, a *gentche* pode derrotar esses caras. Comam isso!

Então tirou a "pedra" que Alicinha havia deixado com ele e distribuiu alguns farelos entre os *outros*, que comeram e se saciaram, repetindo:

O País Sem Nome

— Todos juntos... podemos derrotar... esses caras... É isso aí! Todos juntos podemos derrotar esses caras! Que idéia brilhante. Ele é um feiticeiro, um herói e um ser inteligentíssimo! Vamos fazer o que ele está dizendo!

Primeiro, romperam a cesta. Depois, foram pelo Mercado, distribuindo o alimento, e convidando todos os *outros* a fazerem o mesmo. Os Tômedes, quando viam os amotinados, se afastavam com medo, o que fazia os insurgentes se sentirem ainda mais confiantes.

Pouco a pouco, Leleco e seu grupo libertaram todos os *outros* do Mercado. A história da libertação foi passando de boca em boca, até que os *outrens* dos bairros afastados resolveram vir ao centro, para conferir se era verdadeira. Ali, receberam um pouco de alimento também. E passaram a fazer parte da revolta.

Até que a cidade inteira se sublevou. Foi quando eles seguiram para o Redondo Judicial.

— E assim, graças à "pílula" que *eu* fiz e às palavras que *Pepeu* disse, você acabou virando herói? Quanta injustiça! — disse Alicinha, se roendo de inveja.

— Seja como for, o povo tá livre — falou Pepeu. — Agora cada um que volte pra sua terra, porque vai começar a parte mais difícil. Vão ter que arrumar uma maneira de replantar a floresta e limpar o rio. A comida não vai vir fácil, como antes, quando bastava coletar os frutos da terra: terão que plantar e colher. Pra isso, vão ter que se unir, como hoje. Talvez possam até contar com a ajuda dos Tômedes. Claro, se eles se comportarem direito e deixarem de querer mandar nos outros. No final das contas, apesar de ter tantos povos diferentes, isso aqui acabou virando mesmo um só País.

— Que bonito, Pepeu! — exclamou Leleco. E completou: — Esperem aqui.

Em seguida subiu nos ombros de um companheiro e repetiu tudo quanto o outro havia dito. Foi apoiado pelo povo e aplaudido.

— Viva Leleco! Viva Leleco! Viva Leleco!

— Quanta originalidade! — resmungou Alicinha.

As comemorações pela reconquista da liberdade seguiram por todo o dia, com muita comida e bebida. Como Pepeu havia observado, a parte mais difícil da empreitada se daria dali por diante.

Os ex-*outros* teriam de organizar um novo governo e trabalhar para reconstruir e desenvolver o país. Modificar as coisas num impulso, de um golpe, é relativamente fácil. Complicado mesmo é enfrentar os pequenos problemas que surgem no dia-a-dia.

Mas o fato é que eles tinham boas chances de conseguir. E não digo que seriam felizes para sempre, porque isso só acontece em contos de fadas. Mas talvez conquistassem um pouco de paz e igualdade, o que já é importante.

Seja como for, a verdade é que Alicinha, Leleco e Pepeu não viriam a conhecer o resultado imediato daquela revolução. Porque... Bom, vocês certamente se lembram quando a menina, achando o Monstro de Sirccie muito bonito, depois que engoliu a "pílula" e ficou pequeno, guardou o bicho no bolso.

Pois aconteceu que, sentindo o cheiro de comida e tendo fome, ele voltou a crescer.

— Ha! ha! O que é isso? Pára, Pepeu! Ha! ha! Que brincadeira é essa? — perguntou Alicinha, percebendo que algo se mexia dentro de sua roupa e lhe fazia cócegas.

Logo a cobra saltou para fora do bolso dela e, contorcendo-se e arrastando-se pelo chão, acabou por atingir o mesmo tamanho espetacular que tinha antes e a lançar sua cabeça tremenda em todas as direções em busca de alimento.

Não é preciso dizer que o pânico tomou conta do povo, que — com exceção dos hilariadenses, que continuaram a cantar e dançar — correu desesperado, procurando se salvar da fúria do bicho.

— Mas é só dar comida que o bichinho diminui — dizia Alicinha, triste por ver que tinha perdido o animalzinho de estimação.

— Explica isso pra ele! — falou Pepeu.

Leleco, que até então gozava da fama de líder e mostrava uma coragem nunca vista, com o choque voltou ao seu habitual. Saltou das costas dos companheiros, se aproximou dos primos e disse:

— Co-corre, *gentche*! Co-corre!

Os três dispararam no meio da confusão, entre gritos e correrias. O monstro arremetia para todos os lados, destruindo casas e edifícios.

Sempre de mãos dadas e a toda velocidade, os meninos desceram pelas ruas principais. Mas, onde quer que estivessem, percebiam o corpanzil da serpente e ouviam seus guinchos irados.

A uma esquina, toparam com Rari, que estava sentado num banco, com o queixo apoiado nas mãos e uma cara de tédio profundo. Era como se aquela manifestação de raiva da fera de língua de pedra simplesmente o desgostasse imensamente.

— Se eu fosse vocês, seguiria por ali — disse ele, apontando para a porta de uma torre.

Sem pensar um só minuto, os meninos fizeram como ele havia dito. Entraram no prédio e começaram a subir uma escadaria muito inclinada, que parecia não ter mais fim. Lá em cima, viam apenas uma luz branca muito intensa que se espalhava pelos degraus e encandeava seus olhos.

— Para onde será que o Doutor Resmungão mandou a gente? — perguntava Alicinha.

— Não sei — dizia Pepeu.

— So-sobe! Ra-rápido! — pedia Leleco.

E assim eles seguiram, ouvindo os gritos, a correria do povo e os roncos do Monstro de Sirccie. A certa altura, já não enxergavam mais nada, estavam completamente envolvidos pela luz.

Até que atingiram uma abertura quadrangular no teto do edifício. Ainda correndo, atravessaram a passagem com um salto.

— Ôôôô!

Caíram do outro lado, se levantaram e se prepararam para continuar em disparada. Mas então perceberam que estavam de volta ao quarto do avô. Tinham acabado de sair de dentro do baú.

— Fe... e... fecha! Fe... fecha! — gritou Leleco sem fôlego.

Pepeu voltou até a caixa e a fechou. Alicinha passou a chave. Bateram a porta do quarto e correram de volta para casa.

— Ufa!

Estavam salvos. Abraçaram-se e gritaram efusivamente, comemorando o retorno.

Quando conseguiram se aquietar um pouco, puderam perceber que continuavam na madrugada do mesmo dia em que tinham entrado no baú. Era como se o tempo não tivesse passado, coisa aliás muito comum nesses casos.

Os pais de Pepeu ainda dormiam. Já os três, demoraram muito para adormecer, relembrando tudo o que haviam passado. Começavam a sentir uma leve saudade dos amigos que tinham deixado para trás.

Perto das quatro horas, afinal sentiram sono. Tomaram banho e foram para seus quartos. Leleco foi o último. E demorou tanto no banheiro que Alicinha e Pepeu acabaram cochilando.

Mas não por muito tempo. Logo seriam acordados pelo primo, que berrava pela casa:

— Socorro!

Despertaram e saíram para ver do que se tratava. E depararam com Leleco mudo, de olhos vidrados, olhando na direção do quintal.

Acompanharam o olhar do primo e viram, como antes, vinda dos lados do quarto de seu avô, uma luz misteriosa, que em vez de branca era vermelha.

— Não acredito! — falou Alicinha.

— Vai começar tudo de novo! — completou Pepeu.

Leleco não disse nada, porque tinha acabado de desmaiar. Então...

Bom, mas essa já é uma outra história.

SOBRE OS ILUSTRADORES

Dave Santana nasceu em 1973 em Santo André, SP. Com formação em Publicidade, trabalha para várias publicações como cartunista e chargista e também ilustra livros infanto-juvenis. Suas caricaturas lhe renderam prêmios em vários salões de humor pelo Brasil, e foi premiado com o troféu HQ Mix por seus quadrinhos.

Maurício Paraguassu, natural de São Paulo, nasceu em 1968. Formado em Arquitetura, trabalhou em animação e iluminação para cinema e vídeo, antes de se dedicar à ilustração. Alguns de seus trabalhos como ilustrador já foram incluídos na categoria dos livros Altamente Recomendáveis da FNLIJ (Fundação Nacional do Livro Infantil e Juvenil).

SOBRE O AUTOR

Marconi Leal nasceu no Recife, a 30 de janeiro de 1975, ano em que houve uma das maiores enchentes de Pernambuco. A imagem das águas barrentas que costumavam inundar sua rua é a memória mais antiga que guarda da cidade maurícia. Talvez por isso, adora o Capibaribe, rio que a banha e corta.

Miscigenado como a maioria dos brasileiros, tem em sua ascendência elementos negros, árabes, portugueses e provavelmente outros que a memória familiar não registra. Mas, ao contrário dos grandes escritores nordestinos de sua estima, foi principalmente marcado pela cultura urbana.

Completou o ensino fundamental e o médio no Colégio Marista São Luís, o mesmo onde, muitos anos antes, estudou o poeta pernambucano João Cabral de Melo Neto. Torce pelo Sport, "doença" de que também padece seu concidadão, o escritor Ariano Suassuna. E morou no bairro das Graças, a poucas quadras de uma das casas onde viveu outro ilustre poeta pernambucano: Manuel Bandeira.

É autor dos livros *O Clube dos Sete* (2001) e *Perigo no sertão: novas aventuras do Clube dos Sete* (2004), série para o qual atualmente prepara o terceiro volume.

COLEÇÃO 34 INFANTO-JUVENIL

FICÇÃO BRASILEIRA

Histórias de mágicos e meninos
Caique Botkay

O lago da memória
Ivanir Calado

O Clube dos Sete
Marconi Leal

Perigo no sertão
Marconi Leal

O país sem nome
Marconi Leal

Confidencial
Ivana Arruda Leite

As mil taturanas douradas
Furio Lonza

Viagem a Trevaterra
Luiz Roberto Mee

Crônica da Grande Guerra
Luiz Roberto Mee

A pequena menininha
Antônio Pinto

Pé de guerra
Sonia Robatto

FICÇÃO ESTRANGEIRA

Eu era uma adolescente encanada
Ros Asquith

O dia em que a verdade sumiu
Pierre-Yves Bourdil

O jardim secreto
Frances Hodgson Burnett

A princesinha
Frances Hodgson Burnett

O pequeno lorde
Frances Hodgson Burnett

Os ladrões do sol
Gus Clarke

Os pestes
Roald Dahl

O remédio maravilhoso de Jorge
Roald Dahl

James e o pêssego gigante
Roald Dahl

O BGA
Roald Dahl